# ¡Nos vemos! 1

## Cuaderno de ejercicios

Eva María Lloret Ivorra
Rosa Ribas
Bibiana Wiener
Margarita Görrissen
Marianne Häuptle-Barceló
Pilar Pérez Cañizares

# ¡Nos vemos!

## Cuaderno de ejercicios 1

**Autoras**
Eva María Lloret Ivorra
Rosa Ribas
Bibiana Wiener
Margarita Görrissen
Marianne Häuptle-Barceló
Pilar Pérez Cañizares
**Asesoría y revisión**
Antonio Béjar, José Ramón Rodríguez
**Coordinación editorial y redacción**
Mónica Cociña, Pablo Garrido, Dr. Susanne Schauf, Beate Strauß
**Diseño y dirección de arte**
Óscar García Ortega, Luis Luján
**Maquetación**
Luis Luján
**Documentación**
Pol Wagner
**Ilustración**
Jani Spennhoff, Barcelona

**Fotografías**
**Cubierta** Getty Images **Unidad 1** pág. 8 Chris Schmidt/Istockphoto; pág. 9 gaelx/Flickr; pág. 10 Beatrice Murch/Flickr, webphotographeer/Istockphoto, Michael DeLeon/Istockphoto, difusión; **Unidad 2** pág. 13 Skynesher/Istockphoto; pág. 16 Ben Blankenburg/Istockphoto; **Unidad 3** pág. 19 Chocolates Valor SA; pág. 20 Helder Almeida/Dreamstime; pág. 22 Dalton Dingelstad/Shutterstock; pág. 23 photoGartner/Istockphoto, Mlenny Photograhy/Alexander Hafemann/Istockphoto, fonto/Fotolia, manu10319/Istockphoto, René Mansi/Istockphoto, thumb/Istockphoto; **Unidad 4** pág. 26 Floortje/Istockphoto; **Unidad 5** pág. 29 Ivan Bajic/Istockphoto, Andrew Johnson/Istockphoto; pág. 30 lillisphotography/Istockphoto; Bettina Aumann/Klett; pág. 31 Nicolas Loran/Istockphoto; **Unidad 6** pág. 33 Noah Easterly/Flickr; pág. 37 Generalitat Valenciana,Conselleria de Turisme; **Unidad 7** pág. 39 Mario Carvajal/Flickr, pág. 40 Brasil2/Istockphoto; pág. 41 Rachel Dewis/Istockphoto; pág. 42 Keith Levit/Istockphoto; pág. 43 neiljs/Flickr, blackred/Istockphoto; **Unidad 10** pág. 53 Pablo Sánchez/Flickr; pág. 55 Thechef/Istockphoto, Floortje/Istockphoto; **Unidad 11** pág. 62 Tom Gufler/Istockphoto; **Unidad 12** pág. 65 Jarno Gonzalez Zarraonandia/Istockphoto; pág. 68 Kelly Cline/Istockphoto, zoomstudio/Istockphoto, Eliza Snow/Istockphoto, Sergej Petrakov/Istockphoto, broken3/Istockphoto, Kenneth C. Zirkel/Istockphoto, Murat Giray Kaya/Istockphoto, Chris Scredon/Istockphoto, Floortje/Istockphoto, Eray Haciosmanoglu/Istockphoto, pederk/Istockphoto



**Audiciones CD**
**Estudio de grabación** Tonstudio Bauer GmbH, Ludwigsburg y Difusión.
**Locutores** José María Bazán, Mónica Cociña, Grizel Delgado, Carlos Fernández, Miguel Freire, Helma Gómez, Pilar Klewin, Lucía Palacios, Ernesto Palaoro, Carmen de las Peñas, Pilar Rolfs, Verónica Romero, Roberto Sánchez
**Música** Difusión **Ambientes** dobroide.

**Agradecimientos**
Pol Wagner



ISBN: 978-84-8443-652-2
Depósito legal: B-23.298-2010
Impreso en España por Novoprint

# Índice

# Estructura de ¡Nos vemos!

**¡Nos vemos!** es un manual para descubrir el mundo de habla hispana y aprender a comunicarse en muchas situaciones de la vida cotidiana. Al final de este nivel el estudiante habrá alcanzado el nivel A1 del Marco Común Europeo de Referencia para las Lenguas.

Las unidades de este Cuaderno de ejercicios proporcionan:

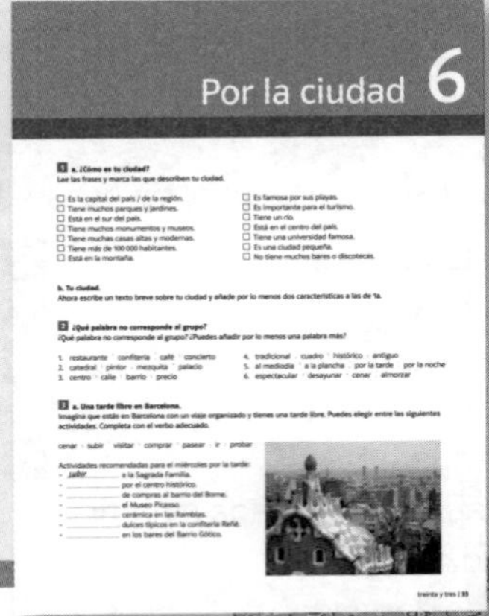
Por la ciudad 6

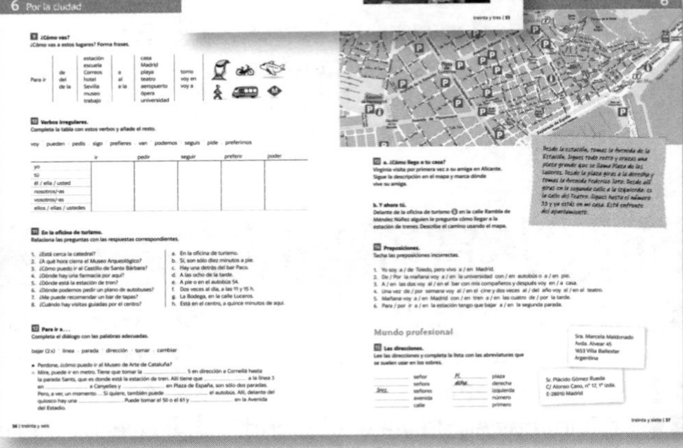
6 Por la ciudad

**Numerosas actividades para consolidar el vocabulario y la gramática** vistos en el Libro del alumno.

**Una actividad orientada al español de los negocios** con carácter opcional en la sección **Mundo profesional**.

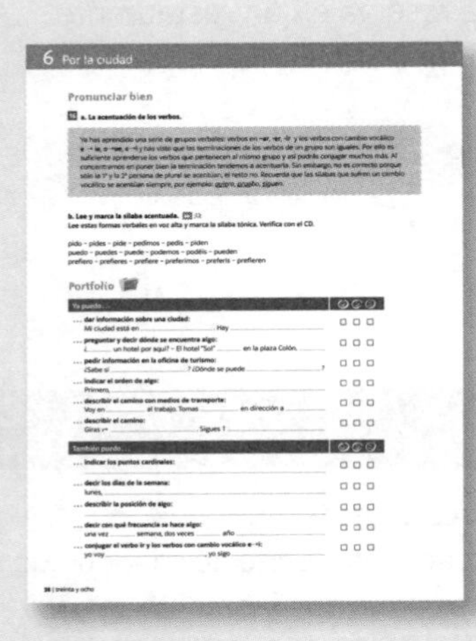
6 Por la ciudad

Pronunciar bien

Portfolio

Una **sección dedicada a la fonética (Pronunciar bien)** en la que se dan consejos relacionados con ciertas características de la pronunciación del español. El estudiante reflexiona y practica.

Un apartado (**Portfolio**) en el que el estudiante tendrá ocasión de **autoevaluar su progreso**.

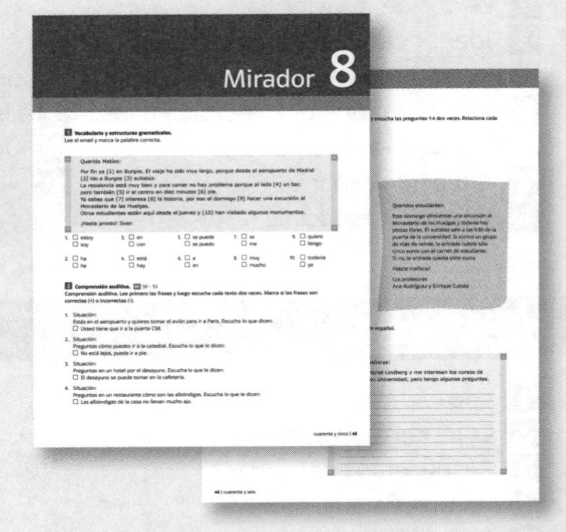
Mirador 8

Al igual que en el Libro del alumno, cada **Mirador** (unidades 4, 8 y 12) sirve para hacer un alto en el camino y **comprobar los conocimientos adquiridos mediante tests**.

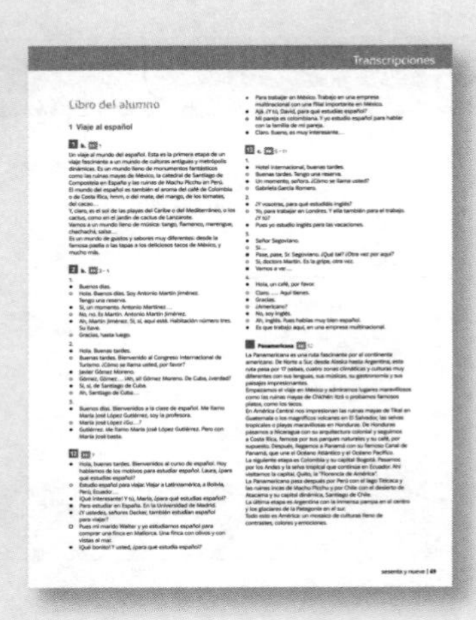
Transcripciones

Libro del alumno

Además, se ofrecen las **transcripciones** de las audiciones del Libro del alumno y del Cuaderno de ejercicios.

# Viaje al español 1

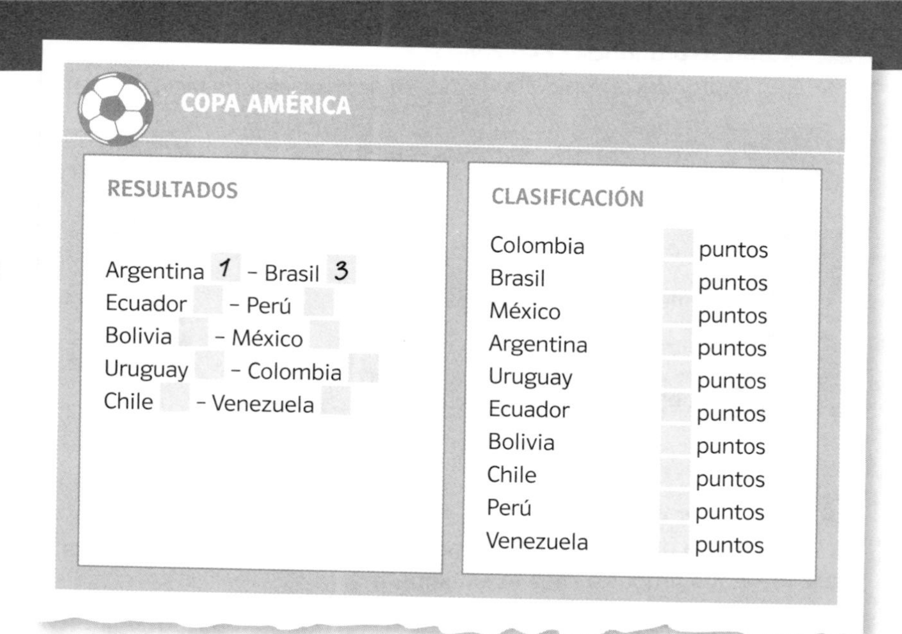


**1 a. Los resultados de fútbol.** ⏭ 1
Escucha y completa los resultados de todos los partidos.

**b. La clasificación.** ⏭ 2
Ahora escucha la clasificación y completa la columna de la derecha.

**2 ¡A calcular!**
Escribe los resultados en palabras.

tres + seis – dos = ........................
ocho : dos + cuatro = ........................
uno + uno x tres = ........................
nueve – cinco + seis = ........................
nueve – tres : dos = ........................
seis : tres – dos = ........................
nueve : tres + dos = ........................
siete – seis x uno = ........................

**3 Hola, ¿cómo te llamas?** ⏭ 3
Escribe dos diálogos con las frases de los bocadillos y verifica con el CD.
¿En qué diálogo se habla de tú y en cuál de usted?

1. ● ........................
 ○ ........................
 ● ........................

2. ● ........................
 ○ ........................
 ● ........................

Soy Santiago Márquez, ¿y usted?

Buenos días. ¿Cómo se llama usted?

Marta, ¿y tú?

Yo soy Ricardo.

Hola, ¿cómo te llamas?

Carmen Luna Jiménez.

La forma de saludarse puede variar mucho en función del lugar y de la situación en la que nos encontramos. En muchos países de habla hispana es frecuente darse besos como parte del saludo. Entre hombres, el saludo puede consistir en darse la mano, una palmadita en la espalda o un abrazo.

**4 Saludos y despedidas.**
¿Cuáles son los saludos para estas horas del día?

22:00 ............................................ 17:00 ............................................
8:00 ............................................ 12:00 ............................................

**5 ¿Cómo se pronuncia? Escucha.** ⏭ 4
Fíjate en la pronunciación de las letras en negrita y repite las palabras.

| b / v | **B**arcelona - **B**olivia - **V**enezuela |
|---|---|
| c / k / qu | **C**uba - **k**ilo - **Qu**ito |
| c / z | Bar**c**elona - Gali**c**ia - **Z**arago**z**a |
| ch | **Ch**ile - **ch**ocolate - no**ch**e |
| g | **G**alápagos - **G**ranada - **G**uatemala |
| gue / gui | **Gue**rnica - **Gui**nea - **gui**tarra |

| g / j | **G**ibraltar - Ar**g**entina - **J**erez |
|---|---|
| h | **H**onduras - **h**otel - **h**ola |
| ll / y | Ma**ll**orca - Sevi**ll**a - pla**y**a |
| ñ | Espa**ñ**a - ni**ñ**os - Catalu**ñ**a |
| r / rr | **r**estau**r**ante - Ando**rr**a - guita**rr**a |

**6 a. El primer día de clase.** ⏭ 5
Es el primer día de clase en una escuela de idiomas en España. Escucha el diálogo dos veces y escribe a qué grupo va cada estudiante.

- ☐ Ana Martínez Marcos
- ☐ Carlos Jiménez Torres
- ☑ 1 Celia Pérez Ramos
- ☐ Gabriel Castillo Sierra
- ☐ Juan García Zapatero
- ☐ Lucía Gil Sánchez
- ☐ Lucía Quesada Ramírez
- ☐ Luis Rodríguez Cercas
- ☐ Pilar González Ortega

**!** En español existen muchos apellidos que terminan en **-ez**. Esta terminación significa "hijo de". Por lo tanto, González era hijo de Gonzalo y Fernández hijo de Fernando.

**b. ¿Cómo se pronuncian los nombres y apellidos?** ⏭ 6
Lee estos nombres en voz alta y busca en la lista de arriba tres nombres de pila y tres apellidos que a principio de palabra suenan iguales. Luego verifica con el CD.

| **C**armen | **C**ecilia | **G**ustavo | **J**osé |
|---|---|---|---|
| | | | |
| | | | |
| | | | |

### 7 a. Palabras, palabras.

Clasifica las palabras por grupos temáticos de tu elección. ¿Puedes añadir más palabras a los grupos?

naranja | restaurante | aceite | catedral | arroz | español | museo | árabe | chocolate | latín | familia | tomate | discoteca | inglés | niños | bebé

**b. Pregunta a tu compañero.**

Haceos preguntas sobre el significado de las palabras.

- ¿Qué significa "naranja"?
- *Orange*. ¿Qué significa…?

### 8 Sustantivos y artículos.

Escribe el artículo y luego forma el plural.

| | | |
|---|---|---|
| el | nombre | los |
| | ciudad | |
| | país | |
| | información | |
| | noche | |
| | niño | |
| | palabra | |
| | número | |
| | día | |
| | problema | |

> **!** Las palabras de origen griego que terminan en -**ma** son masculinas, por ejemplo *el tema, el problema, el sistema, el clima*. Las palabras que terminan en consonante y que llevan tilde en la última sílaba la pierden en plural, por ejemplo la informa**ción** – las informa**ciones**.

### 9 Pronombres y verbos.

Fíjate en la terminación y relaciona los verbos con la persona correspondiente.

estudias | hablan | trabajo | viajáis | escuchamos | compra | pasan | trabajamos | hablas | viajo | estudiáis | escucha

| yo | tú | él / ella / usted | nosotros/-as | vosotros/-as | ellos/-as / ustedes |
|---|---|---|---|---|---|
| | | | | | |
| | | | | | |

### 10 Forma frases.

Relaciona los elementos de las tres columnas y forma frases. A veces hay más de una solución.

| | | |
|---|---|---|
| Antonio y María | estudiáis | música clásica. |
| Marc | pasa las vacaciones | inglés y español. |
| nosotros | viajamos | tres idiomas. |
| tú | trabajo | en la playa. |
| yo | escuchas | a Argentina. |
| vosotros | hablan | en una empresa internacional. |
| | | en México. |

**11 ¿Tú o usted?**
Marca si las personas se tutean o se hablan de usted. ¿Qué elementos lo indican?

| | tú / vosotros | usted / ustedes |
|---|---|---|
| 1. Buenos días, señora Ribas. | ☐ | ☒ |
| 2. ¿Trabajáis en el Hotel Miramar? | ☐ | ☐ |
| 3. ¿Para qué estudias español? | ☐ | ☐ |
| 4. Buenos días. ¿Cómo se llama usted? | ☐ | ☐ |
| 5. Yo soy Gabriela. Y tú, ¿cómo te llamas? | ☐ | ☐ |
| 6. ¿Estudias o trabajas? | ☐ | ☐ |
| 7. Buenas tardes, ¿hablan español? | ☐ | ☐ |
| 8. ¿Es usted el señor Romero? | ☐ | ☐ |

**12 La palabra correcta.**
Atención: Estas frases contienen errores típicos de estudiantes de español.
Sustituye la palabra en negrita por la palabra correcta del lado derecho.

| | |
|---|---|
| 1. ¿Cómo **te** llama usted? | a. cómo |
| 2. Me **llama** Antonio Pérez Díaz. | b. te |
| 3. ¿**Cómo** significa "trabajo"? | c. se |
| 4. Y **usted**, ¿cómo te llamas? | d. significa |
| 5. ¿*Oil* **llama** "aceite"? | e. qué |
| 6. Y tú, ¿cómo **tú** llamas? | f. tú |
| 7. **Yo** llamo Rubén Crespo. | g. llamo |
| 8. ¿**Qué** se pronuncia "Juan"? | h. me |

## Mundo profesional

**13 Palabras internacionales.**
Puedes deducir el significado de muchas palabras a partir de la similitud con palabras de tu lengua materna o de otras lenguas extranjeras que conoces. Relaciona las siguientes palabras con los cuatro temas. A veces hay más de una solución.

el euro | el fax | el director general | el cheque | los clientes | la fotocopiadora | la secretaria | el crédito | el teléfono | la organización | las divisas | el público | la tarjeta de visita | el jefe de personal | el diagrama | la sala | el seminario | el monitor

| el banco | la oficina | la presentación | el personal |
|---|---|---|---|
| ........ | ........ | ........ | ........ |
| ........ | ........ | ........ | ........ |
| ........ | ........ | ........ | ........ |
| ........ | ........ | ........ | ........ |
| ........ | ........ | ........ | ........ |

## Pronunciar bien

**14** **a. La acentuación.**

Has visto algunas palabras con tilde y, seguramente, te has dado cuenta de que indica la sílaba tónica. ¿Pero qué pasa con las palabras sin tilde? Para esto hay tres reglas básicas. Conociéndolas podrás pronunciar correctamente todas las palabras españolas.

- Las palabras que terminan en **vocal**, **-n** o **–s** llevan la sílaba tónica normalmente en la penúltima sílaba. La mayoría de las palabras españolas pertenecen a este grupo: *Cuba, personas, hablan*.
- Las palabras que terminan en **consonante** (menos **–n** y **–s**) llevan la sílaba tónica normalmente en la última sílaba: *hablar, español, Madrid*.
- Todas las palabras que no sigan las dos reglas anteriores llevan tilde en la vocal tónica: *Perú, Félix, Málaga*.

**b. Escucha y marca la sílaba tónica.** ⏭ 7

| | | | | |
|---|---|---|---|---|
| a pe lli do | mú si ca | via jar | in glés | cho co la te |
| ho tel | gra má ti ca | pro ble ma | u ni ver si dad | ciu dad |
| nú me ro | pla ya | tra ba jan | ho la | va ca cio nes |

**c. Ordena las palabras y escucha.** ⏭ 8
Ahora relaciona las palabras con uno de los tres grupos en función de su sílaba tónica y verifica con el CD.

| última sílaba es tónica | penúltima sílaba es tónica | antepenúltima sílaba es tónica |
|---|---|---|
| español | palabra | México |
| | | |
| | | |
| | | |
| | | |
| | | |

**d. Más palabras.**
Busca cinco palabras más en la página 17 (Panamericana) y añádelas a la tabla.

**15** **¿Qué acentos faltan?** ⏭ 9
Escucha las siguientes palabras y subraya la sílaba tónica. Pon, según las reglas de acentuación, las tildes que faltan.

Chile | Islas Galapagos | Panama | España | Ecuador | Tenerife | America | Africa | Caribe | El Salvador | Republica Dominicana | Bogota

## Portfolio

La siguiente lista te ayudará a evaluar tu progreso en el aprendizaje. Añade por cada objetivo al menos un ejemplo y marca una de las casillas según la autoevaluación que hagas de tu capacidad lingüística. Cuando te sientas inseguro en algún punto, revisa los ejercicios correspondientes del Libro del alumno y del Cuaderno de ejercicios.

| Ya puedo... | 😊 | 🙂 | ☹ |
|---|---|---|---|
| **... presentarme:**<br>Me llamo ........................ | ☐ | ☐ | ☐ |
| **... preguntar a otro por su nombre:**<br>¿Cómo ..................? .................. | ☐ | ☐ | ☐ |
| **... saludar a otro a estas horas del día:**<br>8:00 .................. 15:00 .................. 21:00 .................. | ☐ | ☐ | ☐ |
| **... despedirme:**<br>........................ | ☐ | ☐ | ☐ |
| **... preguntar por el significado de una palabra:**<br>¿Qué ..................? .................. | ☐ | ☐ | ☐ |
| **... decir para qué estudio español:**<br>Estudio español para ........................ | ☐ | ☐ | ☐ |

| También puedo... | 😊 | 🙂 | ☹ |
|---|---|---|---|
| **... entender los números de 0 a 10 y escribirlos en palabras:**<br>cero, ........................ | ☐ | ☐ | ☐ |
| **... pronunciar correctamente palabras en español:**<br>Argentina, Valencia, Quito, Jerez, Uruguay ........................ | ☐ | ☐ | ☐ |
| **... indicar el género de palabras y formar su plural:**<br>el teatro – los .................., ......... hotel – .................., la noche – .................. | ☐ | ☐ | ☐ |
| **... conjugar los verbos regulares en -ar:**<br>yo hablo, tú ........................ | ☐ | ☐ | ☐ |

**Tu dosier**

Resérvate una carpeta para el español donde guardar textos que elabores en clase o en casa. Al final de esta unidad ya podrás escribir tu primer texto corto sobre ti mismo: cómo te llamas y para qué estudias español. Guárdalo en tu carpeta.

A lo largo del Libro del alumno te encontrarás con el símbolo para el portfolio que te animará a escribir textos que podrás guardar en tu carpeta. De este modo podrás documentar personalmente tu progreso de aprendizaje. También puedes guardar en tu carpeta otros materiales y documentos que sean importantes para tu aprendizaje, como prospectos, artículos de periódico o letras de canciones hispanas.

# Primeros contactos 2

**1 En un congreso.**
Escribe las preguntas. A veces hay más de una posibilidad.

1. ● ¿......................................................................?
   ○ Marcela Martínez. ¿Y usted?

2. ● ¿......................................................................?
   ○ Muy bien, gracias. ¿.....................................................?
   ● Bien, bien también.

3. ● ¿......................................................................?
   ○ De Santiago de Chile. ¿...............................................?
   ● Somos de Guadalajara.

**2 Forma frases.**
Forma frases con los elementos de los círculos.

*Yo soy de Roma.*

**3 Pronombres.**
Añade los pronombres que faltan.

1. ● Buenos días, ¿es .............................. la organizadora?
   ○ Sí, soy .............................. .

2. ● ¿.............................. sois de aquí?
   ○ Eduardo sí, pero María y .............................. somos de Toledo.

3. ● Perdón, ¿habla .............................. inglés?
   ○ .............................. no, pero mi compañera sí.

4. ● .............................. eres Ricardo, ¿no?
   ○ No, .............................. me llamo Gabriel, Ricardo es .............................. .

**4 a. Señor, señora.**
Relaciona las preguntas con las respuestas. Fíjate en cuándo se usa el artículo delante de **señor/a** y cuándo no.

1. ¿Cómo está usted, señora?
2. Señora Benito, usted es de San Juan, ¿verdad?
3. ¿Es usted el organizador del congreso?
4. Señores, ¿son ustedes de Bolivia?

a. No, es el señor Rodríguez.
b. Nosotros no, pero la señora Quispe sí.
c. Muy bien, gracias.
d. No, soy de San José.

**b. ¿Con o sin artículo?**
Añade el artículo cuando sea necesario.

1. • Buenos días, .................... señor López.
   ○ Buenos días, .................... señora Cañizares. ¿Qué tal?
2. • Perdón, usted es .................... señor Serrano, ¿verdad?
   ○ Sí, soy yo.
3. • ¿De dónde es .................... señora Pardo?
   ○ ¿.................... señora Pardo? De San Sebastián.
4. • .................... señorita Pérez es de Salamanca, ¿no?
   ○ No, no, es de Madrid.

**!** Se usa **señor/a** sin artículo cuando nos dirigimos a la persona que hablamos de usted. Usamos el artículo cuando hablamos de una persona o cuando nos dirigimos a una persona con *"¿Es usted...?"* para saber su nombre.

**5 Un médico.** ⏭ 10
Escucha y averigua en qué tarjeta de visita está el nombre correcto.

**6 a. ¿Cómo se escribe?** ⏭ 11
Lee primero las frases. Luego escucha las preguntas dos veces y marca las respuestas.

☐ a. Sí, con acento en la u.
☐ b. Con minúscula.
☐ c. Sí, pero con zeta.
☑ 1 d. No, con uve.
☐ e. Con che.
☐ f. Con u con diéresis y con elle.

**b. Comprueba con el CD.** ⏭ 12

**7 Datos personales.**
Formula las preguntas para las siguientes respuestas, una vez con tú y otra con usted.

| tú | usted | respuestas |
|---|---|---|
| | | Luz María Flores. |
| | | De Alicante. |
| | | Es el 32 58 00 11. |
| | | Sí, es luzma@yahoo.com. |
| | | No, hablo inglés. |
| | | Para viajar a Dublín. |

**8 Un poema.**
Lee este poema de Gloria Fuertes y escribe uno parecido usando **tener** en vez de **comer**.
Piensa también en un título.

NIÑOS DE SOMALIA

*Yo como*
*Tú comes*
*Él come*
*Nosotros comemos*
*Vosotros coméis*
*¡Ellos no!*

............................................

Yo ............................................
Tú ............................................
Él ............................................
Nosotros ............................................
Vosotros ............................................
¡Ellos ............................................!

**9 a. Verbos en** -ar, -er, -ir.
Relaciona los verbos conjugados con las personas correspondientes. Marca las terminaciones para cada persona. ¿Qué terminaciones son iguales en todos los grupos verbales? ¿Dónde están las diferencias?

busco | compráis | reserva | escribimos | aprendo | escribe | intercambias | venden | vives | viajamos | viven | aprende | vendes | organizan | escribo | aprendemos | vivís | vendéis

| | -ar | -er | -ir |
|---|---|---|---|
| yo | | | |
| tú | | | |
| él / ella / usted | | | |
| nosotros/-as | | | |
| vosotros/-as | | | |
| ellos / ellas / ustedes | | | |

**b. Escucha y marca la sílaba acentuada.** ⏭ 13
Escucha los verbos del ejercicio 9a y subraya la sílaba tónica.
¿En qué verbos se acentúa la terminación?

**10 a. Un trabajo interesante.**
Completa con los verbos conjugados.

- Tú ............ *(ser)* informático, ¿verdad, Luis? ¿De dónde ............ *(ser)*?
- ○ Soy de Cali, pero ............ *(vivir)* en Bogotá.
- ¿Y dónde ............ *(trabajar)*?
- ○ ............ *(trabajar)* en una empresa que ............ *(vender)* ordenadores.
- ¡Ah! ............ *(tener)* un trabajo interesante, ¿verdad?
- ○ ¡Sí! Mi trabajo ............ *(ser)* muy interesante.
- ¿Y ............ *(viajar)* mucho?
- ○ Sí, también ............ *(organizar)* seminarios en diferentes ciudades.
- ¡Ah! ¿Y ............ *(tener)* unos compañeros simpáticos?
- ○ Sí, ............ *(ser)* muy simpáticos. Y el jefe también.
- Un trabajo interesante, compañeros y jefe simpáticos… ¿Cómo se llama la empresa?

**b. Un pequeño texto.**
Resume lo que sabes de Luis en un texto corto.

*Luis es de Cali, pero vive en...*

**11 ¿Con o sin artículo?**
Decide si hace falta artículo o cuál.

Verónica es – / una secretaria y trabaja en la / una empresa en Sevilla. Es la / una empresa que vende – / los instrumentos musicales. Trabaja en la / una oficina muy moderna con la / una compañera que es – / una secretaria también. Las / – chicas viajan mañana a – / un congreso para intercambiar – / las ideas y aprender – / las cosas nuevas. Un / El jefe de las chicas es – / el economista. Es el / un jefe autoritario, pero muy competente.

> **!** Al decir la profesión no se usa artículo: *Marc es músico*. Si se califica la profesión sí que lleva el artículo **un/a**: *Marc es **un** músico famoso*.

**12 Forma frases con** no.
Forma frases con **no** como muestra el ejemplo. Usa el verbo adecuado.

1. La Caixa – supermercado – banco
2. María José – niño – niña
3. Enrique – profesor – enfermero
4. Peter – de Colombia – de Colonia
5. Alicia – árabe – inglés y francés

*La Caixa no es un supermercado, es un banco.*

**13 La pronunciación de las frases.** ⏭ 14
¿Qué frases escuchas? Fíjate en la entonación y en las pausas.

1. ☐ No, soy economista.
   ☐ No soy economista.
2. ☐ No, es médico.
   ☐ No, no es médico.
3. ☐ No, estudiamos español.
   ☐ No, no estudiamos español.
4. ☐ No, no. Trabajo aquí.
   ☐ No, no trabajo aquí.

**14 Escucha el diálogo y corrige los datos en el formulario de la derecha.** ⏭ 15

**LENGUA nueva**

Nombre
*Juan Carlos*
Apellidos
*Gómez García*
Ciudad
*Santiago*
Teléfono
*–*
Móvil
*620 711 833*
Correo electrónico
*Juan.Manuel@terra.com*
Curso de idioma
*francés*

**15 ¿Quién trabaja el domingo?**

policía | economista | profesor de informática | camarero | enfermera | ama de casa | recepcionista | estudiante | músico | veterinario | fontanero | escritora | empleado de banco | arquitecto | dentista | programador | médico | ingeniero

## Mundo profesional

**16 ¿Quién eres?**
Adopta otra identidad. Escoge un dato por columna. Pregúntale los datos a un compañero y escríbelos en el formulario.

| | | | |
|---|---|---|---|
| Mónica Hernández Roviria | arquitecto/-a | m-hr@hotmail.es | 56 89 20 68 |
| Mercedes Herrera Rico | profesor/a de inglés | M.HyR@net.org | 10 66 34 81 |
| Francisco Javier Ortega Baz | dentista | info@web.com | 15 28 04 24 |
| Juan Carlos Santos García | representante | productos@afs.com | 66 44 55 69 |

**Contactos**

✉ ..............................
..............................
Plaza de Santa Ana, 11
28012 Madrid

☎ Teléfono: ..............................
@ E-mail: ..............................

## Pronunciar bien

**17** **a. La pronunciación de la** r.

¿Te resulta difícil pronunciar la **r** española? Puedes practicarlo subiendo la punta de la lengua para que toque el paladar justo detrás de los dientes (como para pronunciar la **l**). Dobla la punta ligeramente y di primero *lilili* y después *riririri*. Haz vibrar la lengua poco a poco. Con un poco de práctica lo conseguirás.

**b. Escucha y repite estos trabalenguas.** ⏭ 16
Escucha los trabalenguas. ¿Puedes repetirlos sin errores?

Tres tristes tigres comen trigo en un trigal.

Rosa Rosales cortó una rosa.
¡Qué roja la rosa de Rosa Rosales!

Rita Rizo reza ruso,
ruso reza Rita Rizo.

## Portfolio 

| Ya puedo... | 😄 | 🙂 | ☹ |
|---|---|---|---|
| **... presentarme:**<br>Soy ........................ | ☐ | ☐ | ☐ |
| **... preguntar a otro por su origen y decir el mío:**<br>¿De dónde ..........? .......... | ☐ | ☐ | ☐ |
| **... preguntar a otro por su estado físico y anímico y decir cómo me encuentro yo:**<br>¿Cómo ..........? .......... | ☐ | ☐ | ☐ |
| **... preguntar por el número de teléfono y por la dirección de email y decir los míos:**<br>¿Cuál ..........? .......... | ☐ | ☐ | ☐ |
| **... negar una afirmación:**<br>No, ........................ | ☐ | ☐ | ☐ |
| **... decir mi profesión y el lugar dónde trabajo y preguntárselo a otro:**<br>¿Qué ..........? – Soy .......... | ☐ | ☐ | ☐ |

| También puedo... | 😄 | 🙂 | ☹ |
|---|---|---|---|
| **... deletrear mi nombre:**<br>........................ | ☐ | ☐ | ☐ |
| **... conjugar los verbos irregulares ser y tener:**<br>yo soy .........., yo tengo .......... | ☐ | ☐ | ☐ |
| **... conjugar los verbos regulares en -er e -ir:**<br>yo aprendo .........., yo vivo .......... | ☐ | ☐ | ☐ |

# Mi gente 3

## 1 ¿Son familia?

Marca todas las palabras que se refieren a personas. ¿Cuáles expresan relaciones de parentesco?

hijo | universidad | pintor | biblioteca | teatro | marido | hotel | arroz | empleado | hermana | tortilla | enfermera | discoteca | padres | ama de casa | naranja | abuelos | médico | escuela | policía | escritora | primo | gente | pianista

## 2 a. La familia.

Completa el vocabulario de la familia con las vocales necesarias. Ten en cuenta que a veces la terminación puede ser masculina y femenina.

P _ D R _ | H _ J _ | H _ R M _ N _ | _ B _ _ L _

M _ R _ D _ | M _ D R _ | N _ _ T _ | M _ J _ R

### b. ¿Y tu familia?

Habla ahora de tu familia. Toma cuatro palabras del ejercicio 2a y escribe el nombre de estas personas, la profesión, el lugar de residencia y trabajo, etc.

*Mi hermano se llama Frank, es representante y vive en...*

## 3 La familia de Chocolates Valor.

¿Te acuerdas de la familia Valor? Lee el texto otra vez y completa este resumen.

chocolate | fábrica | generaciones | países | familia | empresa

Los Valor son una .................... con pasión por el .................... . Tienen una .................... de chocolate en Villajoyosa que exporta sus productos a muchos .................... . Chocolates Valor es una .................... familiar: son cinco .................... de chocolateros.

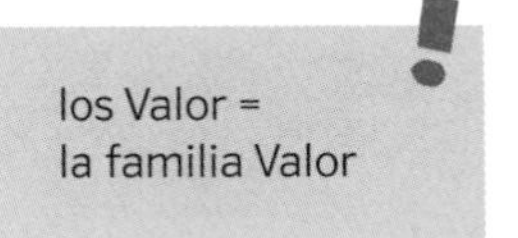

**4** **a. El árbol genealógico.**
Lee el texto y completa el árbol genealógico.

"Yo me llamo Javier y tengo un hermano, Pablo. La mujer de Pablo se llama Amalia. Tienen tres hijos: Carlos, Félix y Anabel. Mi madre, Adela, tiene un hermano, Ricardo, que no tiene pareja. Mi padre es Francisco. Mi mujer, Marisa, y yo tenemos una hija, Carolina."

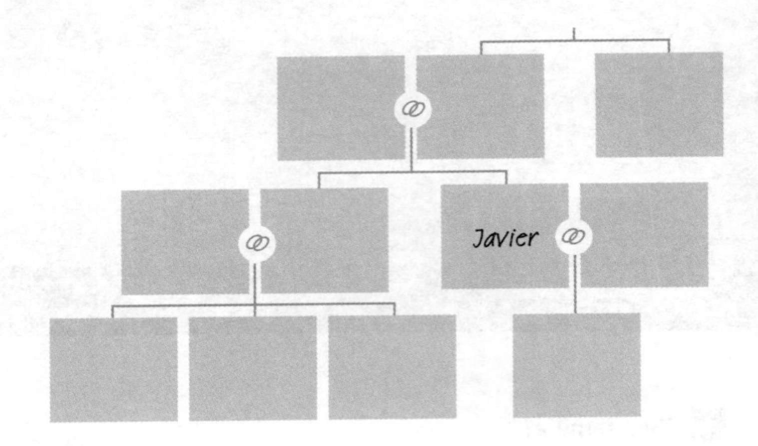


**b. Relaciones familiares.**
Mira el árbol genealógico. ¿Qué relación tienen las personas?

1. Félix y Carlos son los .................... de Anabel.
2. Marisa y Javier son los .................... de Carolina.
3. Carolina es la .................... de Carlos, Félix y Anabel.
4. Ricardo es el .................... de Javier y Pablo.
5. Javier es el .................... de Marisa.
6. Félix es el .................... de Marisa y Javier.
7. Francisco es el .................... de Carolina.

**5** **a. En el circo.**
Lee lo que cuenta un miembro de la familia del ejercicio anterior y completa el texto con los posesivos adecuados.

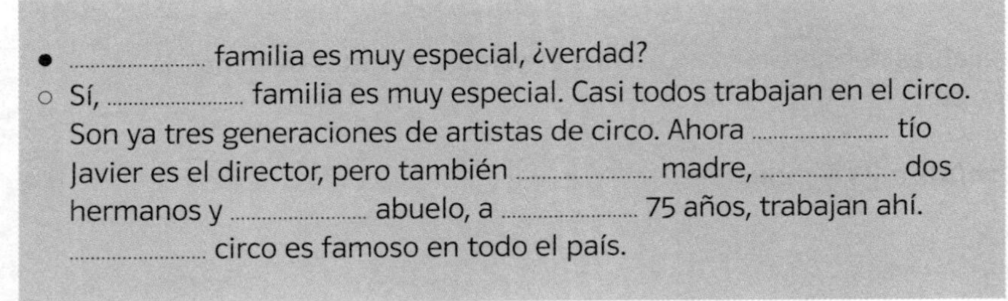

- .................... familia es muy especial, ¿verdad?
- Sí, .................... familia es muy especial. Casi todos trabajan en el circo. Son ya tres generaciones de artistas de circo. Ahora .................... tío Javier es el director, pero también .................... madre, .................... dos hermanos y .................... abuelo, a .................... 75 años, trabajan ahí. .................... circo es famoso en todo el país.

**b. ¿Quién habla?**
Averigua quién habla con ayuda del árbol genealógico de 4a.

**6** **¿Ser, estar o tener?**
Une los elementos para formar frases con sentido.

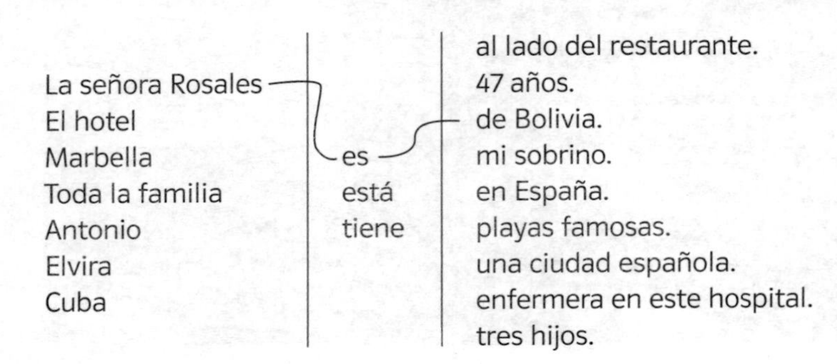

| | | |
|---|---|---|
| | | al lado del restaurante. |
| La señora Rosales | | 47 años. |
| El hotel | | de Bolivia. |
| Marbella | es | mi sobrino. |
| Toda la familia | está | en España. |
| Antonio | tiene | playas famosas. |
| Elvira | | una ciudad española. |
| Cuba | | enfermera en este hospital. |
| | | tres hijos. |

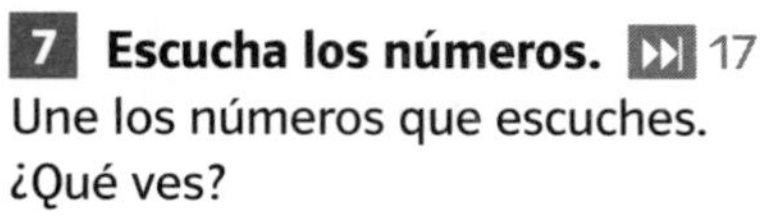

**7 Escucha los números.** 17

Une los números que escuches.
¿Qué ves?

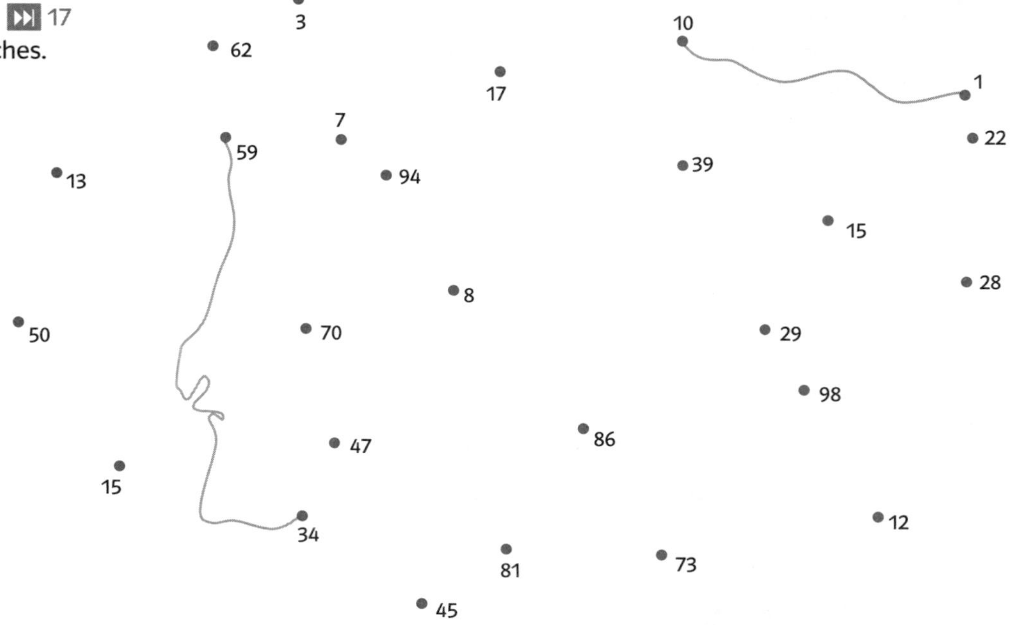


**8 Series de números.**

Sigue la serie de números.

seis – doce – veinticuatro – .................... – ....................
noventa – setenta – cincuenta – .................... – ....................
cuarenta y dos – cuarenta y nueve – cincuenta y seis – .................... – ....................
ochenta y ocho – setenta y siete – sesenta y seis – .................... – ....................
quince – treinta – cuarenta y cinco – .................... – ....................

**9 a. Dina Rot.**

La madre de Ariel y Cecilia también es artista. Añade las terminaciones.

**Dina Rot** es una cantante de Chile. Sus canciones son muy original........ También es escritor........ y canta textos de autores famos........ como por ejemplo Pablo Neruda o Federico García Lorca. Dina es una mujer fascinant........; es moren........ y no muy alt......... Es optimist........ de carácter.
Tiene dos hijos que son artist........ famos........: Ariel y Cecilia. Su apellido es Rotenberg, pero Rot es más práctic......... Una información interesant........: Dina y Ariel escriben su apellido sin hache, pero Cecilia escribe "Roth" con hache.

**b. Una familia de artistas.**

Dina Rot habla de su familia. Formula las preguntas correspondientes a las respuestas.

- ● *¿Quién es Cecilia?*
- ○ Es mi hija.
- ● ....................
- ○ Tiene cincuenta y un años.
- ● ....................
- ○ Es actriz de cine y de teatro.
- ● ....................
- ○ Vive en Buenos Aires.
- ● ....................
- ○ Se llama Ariel.
- ● ....................
- ○ Es cantante de rock.

## 10 Muchas palabras interesantes.

Relaciona las palabras de las tres columnas para formar combinaciones con sentido. Ten en cuenta que las terminaciones tienen que concordar.

*mucha gente optimista*

| | | |
|---|---|---|
| | gente | optimista |
| | trabajo | excelente |
| un | actriz | interesante |
| una | hombres | guapo |
| mucho | concierto | moreno |
| mucha | historias | antipático |
| muchos | hospital | grande |
| muchas | palabras | rápido |
| | dentista | importante |
| | niño | difícil |

## 11 ¿Quién es? 18

Escucha y escribe los nombres de las personas.

## 12 a. Tus gustos.

Marca lo que te gusta o no y en qué grado.

| | | | | |
|---|---|---|---|---|
| la paella | | | | |
| las vacaciones | | | | |
| escribir cartas | | | | |
| los idiomas | | | | |
| el café | | | | |
| los conciertos | | | | |
| hablar por teléfono | | | | |

**b. Escribe sobre tus gustos.**

Escribe frases con ayuda de la tabla de arriba.

1. Me gusta mucho…
2. No me gusta…
3. Me gustan…
4. No me gustan…

**13 a. ¿Qué meses asocias con estas fotos?**
Escribe los meses que asocias con estas fotos.

.................................................
.................................................
.................................................

**b. ¿Cuándo es el cumpleaños de...?**
Pregunta a tu compañero por el cumpleaños de las siguientes personas y escríbelo.

él / ella ..........................
su madre ..........................
su padre ..........................
su pareja ..........................
su(s) hijo(s) ..........................
su profesor/a de español ..........................

**c. Una rima.**
¿Puedes completar esta rima con los meses que faltan?

Treinta días tiene septiembre
con abril, .................. y ..................;
los otros tienen treinta y uno,
menos .................. mocho
que tiene veintiocho.

## Mundo profesional

**14 La empresa Valor.**
¿Cuál es la función de cada departamento de la empresa?

| | |
|---|---|
| Dirección General | las exportaciones |
| Departamento de Recursos Humanos | la dirección de la empresa |
| Departamento de Compras | los cursos de formación para los empleados |
| Departamento de Exportación | los ordenadores |
| Departamento de Marketing | los balances de la empresa |
| Departamento de Informática | la publicidad y las relaciones públicas |
| Departamento Jurídico | los asuntos legales |
| Departamento de Contabilidad | las llamadas telefónicas |
| Recepción | las compras |

*El departamento de Recursos Humanos es responsable de los cursos de formación.*

## Pronunciar bien

**15** **a. La pronunciación de la** j.

¿Te cuesta pronunciar **Jorge** o **Jerez**? Practica la pronunciación con sonidos que te sean familiares: seguro que sabes pronunciar **Bach**.

**b. Escucha y repite este trabalenguas.** ⏭ 19
Escucha este trabalenguas. ¿Puedes decirlo sin errores?

Jamás comerás jamón de Gijón,
jamón de Gijón jamás comerás.

## Portfolio

| Ya puedo... | 😀 | 🙂 | ☹ |
|---|---|---|---|
| **... hablar de mi familia:**<br>Tengo ........ hermano(s). ........ | ☐ | ☐ | ☐ |
| **... preguntar por una persona:**<br>¿........ es Ariel Rot? ........ | ☐ | ☐ | ☐ |
| **... decir dónde se encuentra una persona o una cosa:**<br>El director ........ en su oficina. ........ | ☐ | ☐ | ☐ |
| **... preguntar la edad y decir la mía:**<br>........ | ☐ | ☐ | ☐ |
| **... describir el físico y el carácter de una persona:**<br>Mi madre es ........ | ☐ | ☐ | ☐ |
| **... expresar mis gustos:**<br>Me gusta ........ . No me gusta ........ | ☐ | ☐ | ☐ |
| **... decir la fecha:**<br>........ | ☐ | ☐ | ☐ |

| También puedo... | 😀 | 🙂 | ☹ |
|---|---|---|---|
| **... usar los artículos posesivos:**<br>nuestra familia, mi ........ | ☐ | ☐ | ☐ |
| **... conjugar el verbo estar:**<br>yo estoy, ........ | ☐ | ☐ | ☐ |
| **... entender los números hasta 100 y escribirlos en palabras:**<br>12 ........, 57 ........, 34 ........ | ☐ | ☐ | ☐ |
| **... concordar adjetivo y sustantivo:**<br>una persona simpátic...... , coches pequeñ...... , ........ | ☐ | ☐ | ☐ |

# Mirador 4

**1 Vocabulario y estructuras gramaticales.** Lee el email y marca la palabra correcta.

Hola Valeriano:
¡México [1] un país fascinante! Hoy te escribo de Oaxaca.
La ciudad es muy [2] y me [3] mucho. Además ya [4] aquí contactos para [5] empresa. Hoy, Isabel y yo [6] con el director de [7] empresa de chocolate. Él vive [8] México, ¡pero su familia también [9] de Alicante!
¿Y qué tal vosotros? ¿[10] mucho? ;-)
¡Hasta pronto!
Pedro

1. ☐ es ☐ está
2. ☐ interesantes ☐ interesante
3. ☐ gustan ☐ gusta
4. ☐ tengo ☐ tiene
5. ☐ nosotros ☐ nuestra
6. ☐ hablamos ☐ hablan
7. ☐ un ☐ una
8. ☐ a ☐ en
9. ☐ es ☐ está
10. ☐ Trabajan ☐ Trabajáis

**2 Comprensión auditiva.** ⏭ 20 – 23
Lee primero los diálogos y luego escucha cada texto dos veces. Marca la respuesta correcta.

1. • ¿Cuántas personas trabajan en esta oficina?
   ○ Somos .................. con el jefe.
   a. 5 b. 15
2. • ¿Cómo se escribe el apellido?
   ○ .................. .
   a. Ximénez b. Jimeno
3. • ¿Cuántos empleados tiene la empresa?
   ○ .................. . Es una empresa muy pequeña.
   a. 11 b. 12
4. • ¿Tienes correo electrónico?
   ○ Sí, es .................. .
   a. Ruiz@web.com b. Luis@web.com

**3 Respuestas adecuadas.** ⏭ 24
Lee primero las respuestas de a-d y escucha las preguntas 1-3 dos veces. Relaciona cada pregunta con la respuesta adecuada.

1. ☐
2. ☐
3. ☐

a. En la biblioteca de la escuela.
b. No me gusta mucho.
c. Es pronto, el 3 de noviembre.
d. Sí, dos hijas: Sofía y María Elena.

**4 Comprensión lectora.**
Lee primero los textos y luego elige un título para cada uno.

a. Un autor muy activo
b. Viaje de "Tequila"
c. Me llamo como un país
d. Viaje a Latinoamérica

Muchas niñas se llaman como su madre o su abuela, pero en Latinoamérica hay también bebés que se llaman Argentina, Bolivia o América. Preguntamos a un padre los motivos:
"Mi hija tiene este nombre porque Argentina me gusta mucho, es un país fantástico, y la niña es también una persona fantástica. Además, para nosotros, este nombre es como música."

**1**

El autor Gabriel García Márquez escribe otra vez.
"El tema es, como siempre, el amor", son sus palabras. A sus 82 años, el premio Nobel de literatura colombiano viaja mucho y habla en muchos congresos sobre literatura y lengua.

**2**

El músico argentino Ariel Rot, uno de los "padres" del rock en español, viene a muchas ciudades de España con su CD "Tequila", el nombre de su primer grupo de los años 70 y 80. Con sus compañeros presenta 20 canciones de siempre.

**3**

**5 Expresión escrita.**
Quieres hacer el Camino de Santiago y buscas compañía. Rellena este formulario de contactos.

Amigos del Camino de Santiago

Personas
**Viajes**
Login
Contacto

Apellido(s): ______
Nombre: ______
Lugar de residencia: ______
País: ______
Edad: ______ años
Profesión: ______
Correo electrónico: ______
Número de teléfono: ______
Número de móvil: ______

# Es la hora de comer 5

**1 a. La pirámide de los alimentos.**

Para garantizar una buena alimentación, se recomienda comer más cantidad de los alimentos representados en los niveles inferiores de la pirámide y menos de los superiores. Relaciona los siguientes alimentos con cada uno de los seis niveles y añade más si lo consideras necesario.

carne | leche | verdura | queso | fruta | lechuga | pollo | manzana | chocolate | plátano | tomate | yogur | patatas | mantequilla | aceite | pan | pasta | té | pescado | agua mineral

1. ......................................................................
2. ......................................................................
3. ......................................................................
4. ......................................................................
5. ......................................................................
6. ......................................................................

**b. Tus gustos de comida.**

Expresa tus gustos sobre los alimentos de 1a.

*Me gusta(n) (mucho)... No me gusta(n)...*

**2 a. Frecuencia.**

¿Qué palabras expresan frecuencia? Márcalas y ordénalas de menos a más.

nunca | enero | todos los días | hoy | pocas veces | también | rápido | siempre | mañana | muchas veces | casi nunca | buenas noches

**b. ¿Con qué frecuencia realizas estas actividades?**

beber cava | escuchar música clásica | viajar en avión | hablar español | usar el teléfono móvil | organizar fiestas | comer en un restaurante | comprar productos biológicos

*Nunca bebo cava.*

## 3 Envases y cantidades.

Escribe el envase o la cantidad habituales para estos productos. ¿Puedes añadir un alimento por línea?

1. .................................... de agua, cava, cerveza…
2. *Una botella*.................... de arroz, café, pasta…
3. .................................... de espárragos, tomate, aceite…
4. .................................... de agua, leche, vino…
5. .................................... de manzanas, naranjas, patatas…

## 4 ¿Lo tengo todo?

Has comprado todos estos alimentos en el supermercado. Compáralos con tu lista de la compra y escribe lo que le falta.

*Dos latas de sardinas, …*

## 5 a. En el mercado.

Relaciona las preguntas con las respuestas adecuadas.

| | |
|---|---|
| 1. ¿Qué fruta tiene? | a. Sí, un kilo de manzanas. |
| 2. ¿Cuánto quiere? | b. No, lo siento. Hoy no tengo. |
| 3. ¿Tiene melones? | c. En total son 8,40 €. |
| 4. ¿Algo más? | d. Un kilo y medio. |
| 5. ¿Cuánto es? | e. Pues tengo mangos, mandarinas, plátanos… |

**b. ¿Quién pregunta?**

¿Quién hace las preguntas: el cliente o el vendedor?

**6** **Los verbos** preferir, tener **y** querer. ⏭ 25

Completa el diálogo en el supermercado con los verbos conjugados y comprueba con el CD.

Vendedor: Aquí tiene los tomates y las manzanas. ¿Qué más ................................, doña Aurelia?
Doña Aurelia: ¿................................ melones? Es que me gustan mucho los melones.
Vendedor: No, lo siento. Pero ................................ mangos muy buenos. ¿No ................................ usted mangos?
Doña Aurelia: ¿Mangos? ¿Eso qué es? Yo ................................ la fruta de aquí: el melón de Villaconejos y las manzanas de Lleida. Naranjas, ¿................................ naranjas de Valencia?
Vendedor: Sí. ¿Cuánto ................................?
Doña Aurelia: Medio kilo. Eso es todo, gracias.

**7** **a. Un producto español.**

Lee el texto. ¿Qué significan las palabras **olivo**, **producción** y **tonelada**?

España es el productor de aceite de oliva número uno en el mundo. El aceite de oliva español tiene seis mil (1) años de historia. Es el zumo de la fruta del olivo, un árbol que vive hasta trescientos (2) años. España tiene doscientos ochenta millones (3) de olivos, y el ochenta (4) por ciento está en la región de Andalucía. La producción es de un millón (5) de toneladas; Andalucía exporta ciento veinte mil (6) toneladas a más de cien (7) países en los cinco (8) continentes.
Los españoles consumen casi trece (9) litros por persona y año.

**b. Escribe en cifras los números destacados en azul en el texto.**

1. ................................
2. ................................
3. ................................
4. ................................
5. ................................
6. ................................
7. ................................
8. ................................
9. ................................

**8** **Vinos españoles exclusivos.** ⏭ 26

Escucha y marca el precio correcto por botella para estos vinos exclusivos.

VINOS FINOS, S.A.

| | | |
|---|---|---|
| DOMINIO DE PINGUS 2000 | 790 € | 970 € |
| PINGUS 2003 | 590 € | 159 € |
| LA ERMITA 2002 | 393 € | 293 € |
| TINTO PESQUERA MILLENIUM 1996 | 214 € | 240 € |
| VEGA SICILIA RESERVA ESPECIAL 1999 | 184 € | 804 € |
| ARTADI GRANDES AÑADAS 2001 | 132 € | 123 € |
| FINCA GARBET 2001 | 150 € | 115 € |

**9** **Los verbos en el diccionario.**

Si queremos buscar estos verbos en el diccionario, ¿qué infinitivo debemos buscar?

quiere | prefieres | tienen | pruebas | queremos | podemos | preferís | es | puedo | probáis | estudiamos | aprendéis | vivimos | tengo | soy | estoy

### 10 En un bar de tapas.

Completa el diálogo con las palabras adecuadas.

- Buenos días, ¿qué quieren?
- ○ ¿.................................... patatas bravas?
- Sí, claro. ¡Y muy buenas!
- ○ Pues una .................................... de patatas bravas y otra de gambas a la .................................... .
- ¿Y para beber?
- ○ Vino de la ...................................., por favor.
- Muy bien. Enseguida, señores.

### 11 Escucha. ¿De qué hablan las personas? ⏭ 27

Fíjate en los pronombres.

- ☐ bocadillo
- ☐ tortilla
- ☐ espaguetis
- ☐ aceitunas

> un bocadillo
> ~~con~~ **de** jamón

### 12 a. Forma frases.

Relaciona los elementos de las columnas para formar frases con sentido.

| | | | |
|---|---|---|---|
| El pescado frito | | | prefiero verdes. |
| Las naranjas | | lo | quiero con mucho ajo, por favor. |
| Las manzanas | | la | preparáis con huevo, tomate y lechuga, ¿o no? |
| El té | (no) | los | prefiero con limón. |
| Los bocadillos | | las | quiero para zumo. |
| La paella | | | tienen en lata? |
| Las sardinas | | | tienen de pollo y gambas, ¿verdad? |

> Cuando la frase empieza por el objeto directo hay que repetirlo con un pronombre:
> *El café **lo** quiero con leche*

**b. ¿En el mercado o en un bar?**

¿Qué frases se dicen en un mercado y cuáles en un bar?

### 13 ¿Qué falta en la mesa?

Escribe lo que falta en la mesa.

*Falta un plato...*

### 14 ¿Qué se hace en España?

Lee las siguientes frases y decide qué formas verbales tienen que llevar **-n**. Luego marca si las frases valen para España o para tu país.

| | España | tu país |
|---|---|---|
| 1. Se desayuna........ en casa. | | |
| 2. Se toma........ tapas con amigos. | | |
| 3. Se paga........ la cuenta por separado. | | |
| 4. Se bebe........ mucha cerveza. | | |
| 5. Se come........ muchas aceitunas. | | |
| 6. Se toma........ vino en el almuerzo. | | |

### 15 La hora. ⏭ 28

Escucha los diálogos dos veces: primero, escribe el orden y, después, la hora.

☐ concierto ..................................
☐ clase de español ..................................
☐ avión ..................................
☐ fiesta ..................................

### 16 Preposiciones.

Tacha las preposiciones incorrectas.

1. Muchos españoles no desayunan por / de la mañana, pero a / en las diez toman un café.
2. Al / Por mediodía, muchas personas van a / en un bar para / por comer algo.
3. Por / De la tarde, muchos niños toman un bocadillo a / de jamón o queso.
4. Mucha gente cena tarde, incluso es normal cenar en / a las once de / por la noche.

## Mundo profesional

### 17 La agenda del director. ⏭ 29

Escucha el diálogo entre un director y su asistente y escribe las horas en la agenda.

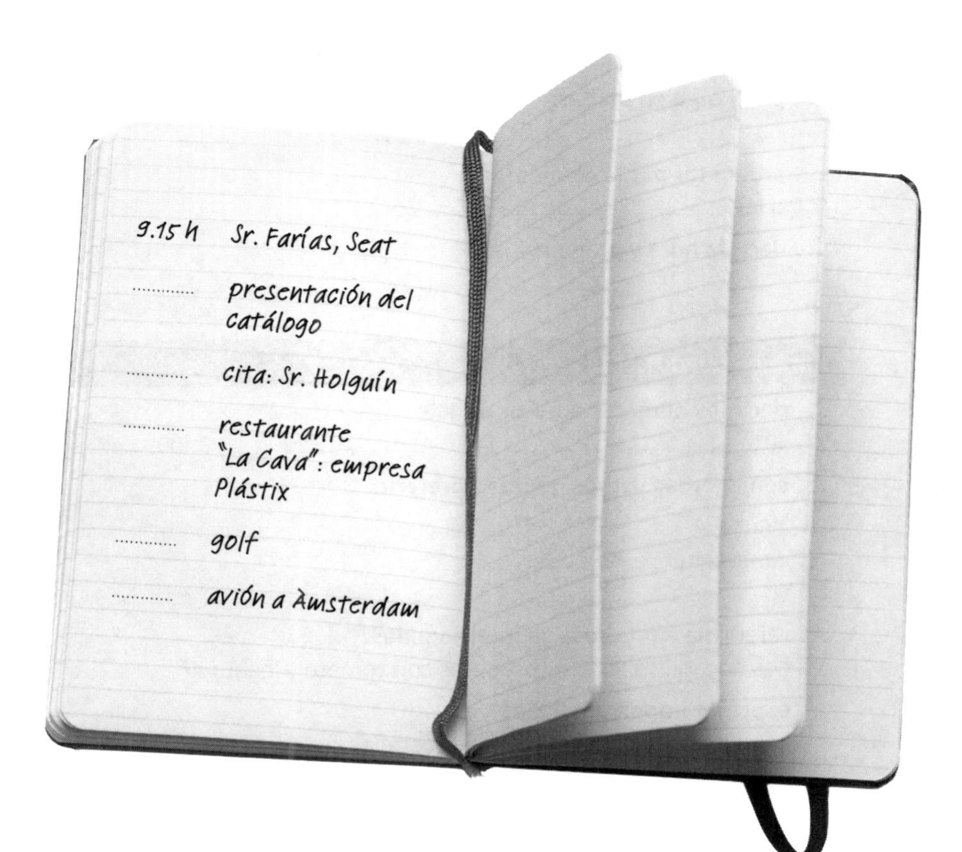

## Pronunciar bien

**18 a. Las vocales y la letra** s.

¿En tu lengua hay vocales largas y cortas? ¿En tu lengua las eses pueden ser sordas y sonoras? En español, acostúmbrate a pronunciar las vocales cortas y las eses sordas. De esta manera, tu forma de hablar se parecerá más a la de un hispano.

**b. Escucha a Petra y a Pedro.** ⏭ 30
Escucha cómo Petra y Pedro pronuncian las mismas palabras. ¡Imita a Pedro!

casa | tomate | nosotros | persona | famoso | sala | simpático | problema | Eva

## Portfolio

| Ya puedo... | ☺ | ◡ | ☹ |
|---|---|---|---|
| **... decir las medidas y las cantidades::**<br>.................... de aceite .................... | ☐ | ☐ | ☐ |
| **... comprar comida:**<br>¿Tiene ....................? .................... | ☐ | ☐ | ☐ |
| **... preguntar por el precio:**<br>.................... | ☐ | ☐ | ☐ |
| **... expresar preferencias:**<br>Prefiero .................... | ☐ | ☐ | ☐ |
| **... pedir algo en un bar:**<br>.................... | ☐ | ☐ | ☐ |
| **... preguntar por la comida:**<br>¿Lleva ....................? .................... | ☐ | ☐ | ☐ |
| **... decir la hora y preguntarla:**<br>.................... | ☐ | ☐ | ☐ |

| También puedo... | ☺ | ◡ | ☹ |
|---|---|---|---|
| **... decir los números a partir de 100:**<br>101 ...................., 540 ...................., 3.100 .................... | ☐ | ☐ | ☐ |
| **... conjugar los verbos querer y preferir:**<br>yo .................... | ☐ | ☐ | ☐ |
| **... conjugar el verbo poder:**<br>yo .................... | ☐ | ☐ | ☐ |
| **... referirme a una cosa ya mencionada:**<br>Los bocadillos, ¿.......... preparas con tomate y lechuga? .................... | ☐ | ☐ | ☐ |
| **... expresar impersonalidad:**<br>En el desayuno .......... toman tostadas. .................... | ☐ | ☐ | ☐ |

# Por la ciudad 6

**1 a. ¿Cómo es tu ciudad?**
Lee las frases y marca las que describen tu ciudad.

- ☐ Es la capital del país / de la región.
- ☐ Tiene muchos parques y jardines.
- ☐ Está en el sur del país.
- ☐ Tiene muchos monumentos y museos.
- ☐ Tiene muchas casas altas y modernas.
- ☐ Tiene más de 100 000 habitantes.
- ☐ Está en la montaña.
- ☐ Es famosa por sus playas.
- ☐ Es importante para el turismo.
- ☐ Tiene un río.
- ☐ Está en el centro del país.
- ☐ Tiene una universidad famosa.
- ☐ Es una ciudad pequeña.
- ☐ No tiene muchos bares o discotecas.

**b. Tu ciudad.**
Ahora escribe un texto breve sobre tu ciudad y añade por lo menos dos características a las de 1a.

**2 ¿Qué palabra no corresponde al grupo?**
¿Qué palabra no corresponde al grupo? ¿Puedes añadir por lo menos una palabra más?

1. restaurante | confitería | café | concierto
2. catedral | pintor | mezquita | palacio
3. centro | calle | barrio | precio
4. tradicional | cuadro | histórico | antiguo
5. al mediodía | a la plancha | por la tarde | por la noche
6. espectacular | desayunar | cenar | almorzar

**3 a. Una tarde libre en Barcelona.**
Imagina que estás en Barcelona con un viaje organizado y tienes una tarde libre. Puedes elegir entre las siguientes actividades. Completa con el verbo adecuado.

cenar | subir | visitar | comprar | pasear | ir | probar

Actividades recomendadas para el miércoles por la tarde:
- *subir* a la Sagrada Familia.
- .................................... por el centro histórico.
- .................................... de compras al barrio del Borne.
- .................................... el Museo Picasso.
- .................................... cerámica en las Ramblas.
- .................................... dulces típicos en la confitería Reñé.
- .................................... en los bares del Barrio Gótico.

**4** **¿Hay, ser o estar?**
Completa la postal
con los verbos adecuados.

Hola Michael:

Hoy es el 15 de julio y ya .................... en Alicante. Alicante .................... una ciudad preciosa que .................... en el este de España, en el Mediterráneo. .................... famosa por sus playas y porque .................... la ciudad del turrón y de los zapatos. ¿Te gusta el turrón? ¡.................... un dulce delicioso! Aquí .................... mucha vida nocturna, porque .................... muchos estudiantes. .................... bares, discotecas y restaurantes muy cerca de mi hotel. También .................... monumentos interesantes, como el Castillo de Santa Bárbara o la Catedral. ¿Dónde .................... tú ahora? ¿No quieres venir unos días también?

Un abrazo,
Elsa

**5** **Los planes de Elsa.** ⏭ 31
Elsa pasará una semana en Alicante y tiene muchos planes.
Escucha el diálogo y escríbelos en la agenda.

| lunes | martes | miércoles | jueves | viernes | sábado | domingo |
|---|---|---|---|---|---|---|
| | | | | | | |
| | | | | | | |
| | | | | | | |
| | | | | | | |
| | | | | | | |

**6** **a. ¿Dónde se puede...?**
Escribe los nombres de las tiendas o lugares donde se pueden hacer estas actividades.

1. comprar el periódico ....................
2. comprar pan ....................
3. pedir un plano de la ciudad ....................
4. comprar sellos ....................
5. comprar aspirinas ....................
6. ver una película ....................

**b. ¿Con qué frecuencia?**
Elige cuatro de las actividades anteriores y escribe con qué frecuencia las haces.

*Compro el periódico todos los días.*

## 7 ¿Qué se puede hacer...?
Escribe lo que se puede hacer en estos lugares:

1. en una confitería
2. en una perfumería
3. en la estación de autobuses
4. en un museo
5. en una parada de taxis
6. en un bar

*1. En una confitería se pueden comprar dulces.*

## 8 En el centro comercial.
Completa las frases con ayuda del mapa del centro comercial.

1. • ¿Dónde hay .......................................................................?
   ○ Hay una entre el restaurante y la tienda de modas.
2. • Por favor, ¿dónde están
   .......................................................................?
   ○ Están aquí cerca, entre el cine y la farmacia.
3. • ¿Dónde está .......................................................................?
   ○ Está al lado de la farmacia.
4. • ¿Quieres tomar algo?
   ○ Sí, mira, allí hay .......................................................................,
   detrás de la panadería.
5. • ¿Me dejas tu móvil?
   ○ No lo tengo aquí, pero allí hay
   ......................................................................., a la izquierda
   de la entrada.

## 9 ¿Cómo vas?

¿Cómo vas a estos lugares? Forma frases.

| | | | | | |
|---|---|---|---|---|---|
| Para ir | de<br>del<br>de la | estación<br>escuela<br>Correos<br>hotel<br>Sevilla<br>museo<br>trabajo | a<br>al<br>a la | casa<br>Madrid<br>playa<br>teatro<br>aeropuerto<br>ópera<br>universidad | tomo<br>voy en<br>voy a |

## 10 Verbos irregulares.

Completa la tabla con estos verbos y añade el resto.

voy | pueden | pedís | sigo | prefieres | van | podemos | seguís | pide | preferimos

| | ir | pedir | seguir | preferir | poder |
|---|---|---|---|---|---|
| yo | | | | | |
| tú | | | | | |
| él / ella / usted | | | | | |
| nosotros/-as | | | | | |
| vosotros/-as | | | | | |
| ellos / ellas / ustedes | | | | | |

## 11 En la oficina de turismo.

Relaciona las preguntas con las respuestas correspondientes.

1. ¿Está cerca la catedral?
2. ¿A qué hora cierra el Museo Arqueológico?
3. ¿Cómo puedo ir al Castillo de Santa Bárbara?
4. ¿Dónde hay una farmacia por aquí?
5. ¿Dónde está la estación de tren?
6. ¿Dónde podemos pedir un plano de autobuses?
7. ¿Me puede recomendar un bar de tapas?
8. ¿Cuándo hay visitas guiadas por el centro?

a. En la oficina de turismo.
b. Sí, son sólo diez minutos a pie.
c. Hay una detrás del bar Paco.
d. A las ocho de la tarde.
e. A pie o en el autobús 54.
f. Dos veces al día, a las 11 y 15 h.
g. La Bodega, en la calle Luceros.
h. Está en el centro, a quince minutos de aquí.

## 12 Para ir a...

Completa el diálogo con las palabras adecuadas.

bajar (2x) | línea | parada | dirección | tomar | cambiar

- Perdone, ¿cómo puedo ir al Museo de Arte de Cataluña?
- Mire, puede ir en metro. Tiene que tomar la .................... 5 en dirección a Cornellá hasta la parada Sants, que es donde está la estación de tren. Allí tiene que .................... a la línea 3 en .................... a Canyelles y .................... en Plaza de España, son sólo dos paradas. Pero, a ver, un momento... Si quiere, también puede .................... el autobús. Allí, delante del quiosco hay una .................... . Puede tomar el 50 o el 61 y .................... en la Avenida del Estadio.

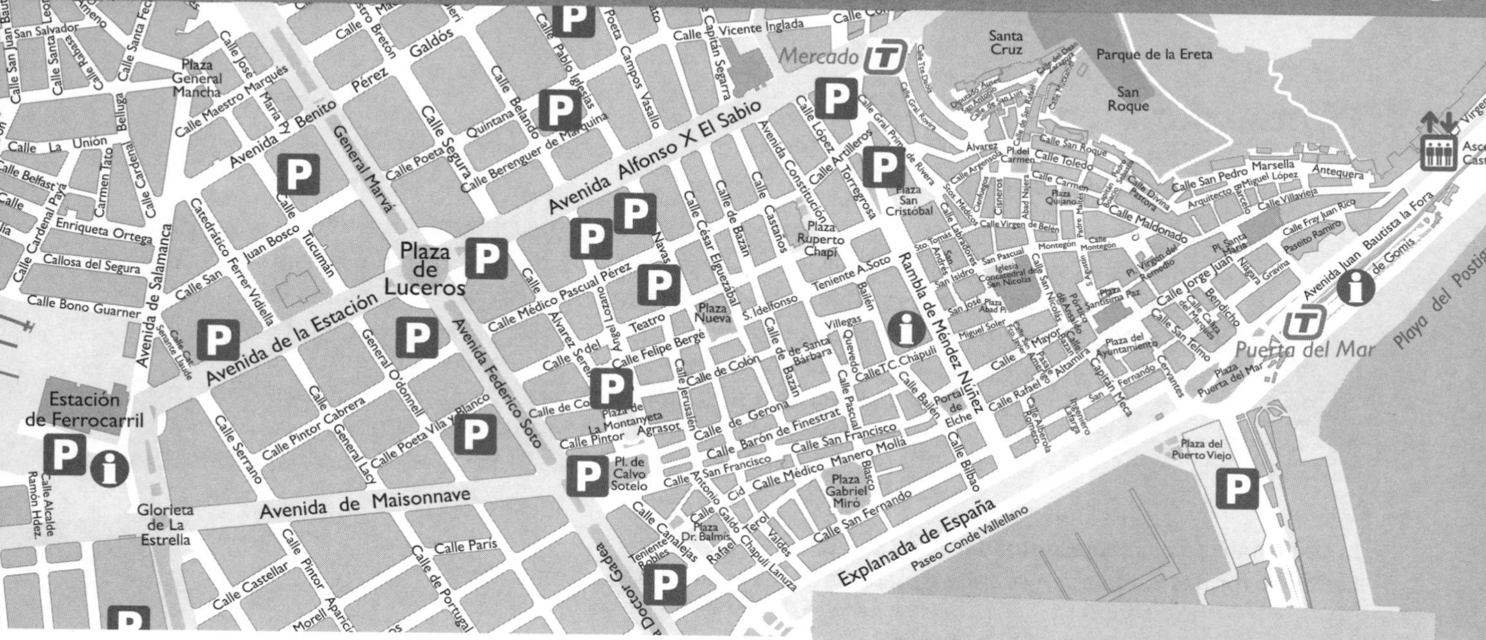


**13** **a. ¿Cómo llego a tu casa?**
Virginia visita por primera vez a su amiga en Alicante. Sigue la descripción en el mapa y marca dónde vive su amiga.

*Desde la estación, tomas la Avenida de la Estación. Sigues todo recto y cruzas una plaza grande que se llama Plaza de los Luceros. Desde la plaza giras a la derecha y tomas la Avenida Federico Soto. Desde allí giras en la segunda calle a la izquierda: es la calle del Teatro. Sigues hasta el número 33 y ya estás en mi casa. Está enfrente del aparcamiento.*

**b. Y ahora tú.**
Delante de la oficina de turismo (i) en la calle Rambla de Méndez Núñez alguien le pregunta cómo llegar a la estación de trenes. Describe el camino usando el mapa.

**14** **Preposiciones.**
Tacha las preposiciones incorrectas.

1. Yo soy a / de Toledo, pero vivo a / en Madrid.
2. De / Por la mañana voy a / en la universidad con / en autobús o a / en pie.
3. A / en las dos voy al / en el bar con mis compañeros y después voy en / a casa.
4. Una vez de / por semana voy al / en el cine y dos veces al / del año voy al / en el teatro.
5. Mañana voy a / en Madrid con / en tren a / en las cuatro de / por la tarde.
6. Para / por ir a / en la estación tengo que bajar a / en la segunda parada.

## Mundo profesional

**15** **Las direcciones.**
Lee las direcciones y completa la lista con las abreviaturas que se suelen usar en los sobres.

Sra. Marcela Maldonado
Avda. Alvear 45
1653 Villa Ballester
Argentina

Sr. Plácido Gómez Rueda
C/ Alonso Cano, n° 17, 1° izda.
E-28010 Madrid

| | | | |
|---|---|---|---|
| .......... | señor | *Pl.* | plaza |
| .......... | señora | *dcha.* | derecha |
| *Sres.* | señores | .......... | izquierda |
| .......... | avenida | .......... | número |
| .......... | calle | .......... | primero |

## Pronunciar bien

**16 a. La sílaba tónica de los verbos.**

Ya has aprendido una serie de grupos verbales: verbos en **–ar**, **-er**, **-ir** y los verbos con cambio vocálico **e → ie**, **o → ue**, **e → i** y has visto que las terminaciones de los verbos de un grupo son iguales. Por ello es suficiente aprenderse los verbos que pertenecen al mismo grupo y así podrás conjugar muchos más.
Al concentrarnos en poner bien la terminación tendemos a hacerla tónica. Sin embargo, no es correcto porque sólo la 1ª y la 2ª persona de plural tienen la sílaba tónica desplazada. Recuerda que las sílabas que sufren un cambio vocálico se acentúan siempre, por ejemplo: *quiero*, *pruebo*, *siguen*.

**b. Lee y marca la sílaba acentuada.** ⏭ 32
Lee estas formas verbales en voz alta y marca la sílaba tónica. Verifica con el CD.

pido – pides – pide – pedimos – pedís – piden
puedo – puedes – puede – podemos – podéis – pueden
prefiero – prefieres – prefiere – preferimos – preferís – prefieren

## Portfolio

| Ya puedo... | 😊 | 🙂 | ☹ |
|---|---|---|---|
| **... dar información sobre una ciudad:**<br>Mi ciudad está en .................... . Hay .................... | ☐ | ☐ | ☐ |
| **... preguntar y decir dónde se encuentra algo:**<br>¿.......... un hotel por aquí? – El hotel "Sol" .......... en la plaza Colón. .......... | ☐ | ☐ | ☐ |
| **... pedir información en la oficina de turismo:**<br>¿Sabe si ....................? ¿Dónde se puede ....................? | ☐ | ☐ | ☐ |
| **... indicar el orden de algo:**<br>Primero, .................... | ☐ | ☐ | ☐ |
| **... describir el camino con medios de transporte:**<br>Voy en .......... al trabajo. Tomas .......... en dirección a .......... | ☐ | ☐ | ☐ |
| **... describir el camino:**<br>Giras ↱ .................... . Sigues ↑ .................... | ☐ | ☐ | ☐ |

| También puedo... | 😊 | 🙂 | ☹ |
|---|---|---|---|
| **... indicar los puntos cardinales:**<br>.................... | ☐ | ☐ | ☐ |
| **... decir los días de la semana:**<br>lunes, .................... | ☐ | ☐ | ☐ |
| **... describir la posición de algo:**<br>.................... | ☐ | ☐ | ☐ |
| **... decir con qué frecuencia se hace algo:**<br>una vez .......... semana, dos veces .......... año .................... | ☐ | ☐ | ☐ |
| **... conjugar el verbo ir y los verbos con cambio vocálico e → i:**<br>yo voy ...................., yo sigo .................... | ☐ | ☐ | ☐ |

# El placer de viajar 7

**1 a. ¿Viaje cultural, vacaciones activas o de descanso?**
¿Qué actividades asocias con un viaje cultural, vacaciones activas o vacaciones de descanso?

ver una iglesia | visitar museos | ir a la playa | ver una galería | pasear por el centro histórico | no hacer nada | hacer senderismo | subir a una montaña | tomar el sol | nadar | practicar deporte | ir a un concierto | leer mucho | ir en bicicleta

**b. ¿Y tú qué prefieres en las vacaciones? Escribe algunas actividades.**

*En las vacaciones me gusta... Prefiero...*

**2 Reservar un hotel.**
Lee las respuestas de la recepcionista y formula las preguntas del huésped.

- ¿..................................................?
- Sí, tenemos una individual con baño.
- ¿..................................................?
- No, es exterior, pero la calle es muy tranquila.
- ¿..................................................?
- 90 euros.
- ¿..................................................?
- No, lo siento, no está incluido en el precio.
- ¿..................................................?
- Claro, está detrás del hotel.

**3 a. Un hotel hermoso.**
Añade las terminaciones.

Querido Manuel:
Estamos en Cartagena, una ciudad precios........ El hotel es hermos........, es una finca antigu........, de la época colonial........ Nuestr........ habitación no es muy grand........, pero está amueblad........ con un gusto exquisit........ Los muebles son tradicional........ y en la mesa hay una cesta con frutas exótic........ ¡Los mangos son delicios........ aquí en Colombia! El baño es muy modern........ y tenemos aire acondicionad........, porque con este clima, ¡lo necesitas! También tenemos una terraza pequeñ........ que da a un jardín tranquil........ con árboles muy alt......... Mañana vamos a ver el centro históric........, que es muy famos.........
Un abrazo, Luisa

**b. En casa y en las vacaciones.**
En un hotel hay todas estas cosas. ¿Cuáles tienes también en tu casa? ¿Cuáles son imprescindibles para tus vacaciones? Subráyalas con colores diferentes.

silla | cuchillo | piscina | periódico | cama | tarjetas de visita | vaso | cuadros | cuchara | cocina | mesa | salón | comedor | garaje | minibar | ducha | baño | calefacción | aire acondicionado | terraza | sauna | jardín | dormitorio | aparcamiento | llave | tenedor | balcón | cafetería

**4 En una agencia de viajes.**
Tacha los pronombres incorrectos.

- ● Bien, señores. ¿Tienen ya alguna idea sobre el viaje? ¿Qué les / los gusta más, el mar o la montaña?
- ○ A nosotros me / nos encanta la montaña, claro.
- ■ ¿Cómo que "claro"? ¡Tú sabes que a mí no me / mí gusta nada la montaña! Y a los niños los / les gusta el mar.
- ○ ¡Qué dices! A Juan le / lo encanta caminar.
- ■ Sí, caminar se / le gusta mucho, pero por la playa.
- ○ Bueno, bueno, pero a Pablo y a mí me / nos encanta pasear por la montaña.
- ■ Pero Antonio. A Pablo sólo le / te interesa ir a la montaña con sus amigos…
- ● Ejem, señores Pérez. Quizá si miran primero estos catálogos de Mallorca…

**5 En una empresa.**
Añade los pronombres.

1. El nuevo programa informático ............... encuentro muy difícil, ¿y tú?
2. A mí ............... encanta trabajar con música, pero no es posible en la oficina.
3. A mi compañera y a mí no ............... gusta mucho la nueva oficina.
4. ¿A ti no ............... molesta el ruido de la calle para trabajar?
5. ¿No ............... interesan a vosotros estas informaciones sobre la exportación?
6. El catálogo de otoño, ¿............... has visto ya?
7. A mi jefe sólo ............... interesan los resultados de ese proyecto.
8. ¿Ya ............... has dicho al jefe que quieres más dinero?

**6 a. ¿De qué hablan?** ⏭ 33
Escucha los diálogos y marca de lo que hablan.

- ☐ comer mucho ajo
- ☐ comprar un cuadro
- ☐ ir en avión
- ☐ hacer senderismo
- ☐ ir a la sauna
- ☐ probar un vino

**b. ¿Gustos iguales o gustos diferentes?**
Escucha los diálogos otra vez. ¿Las personas tienen los mismos gustos o gustos diferentes?

| | = gustos iguales | ≠ gustos diferentes |
|---|---|---|
| 1. | | |
| 2. | | |
| 3. | | |
| 4. | | |
| 5. | | |
| 6. | | |

## 7 Reacciones.

Escribe dos posibles reacciones a estas frases.

1. A mí me encanta ir en bicicleta.
   ☺ ...........................................
   ☹ ...........................................
2. Tengo un trabajo muy interesante.
   ☹ ...........................................
   ☹ ...........................................
3. No me gusta comer carne.
   ☹ ...........................................
   ☺ ...........................................
4. Quiero pasar las vacaciones en casa.
   ☺ ...........................................
   ☹ ...........................................

## 8 Preguntas útiles.

Marca las palabras necesarias para completar las preguntas. Hay más de una solución.

1. ¿Dónde puedo alquilar…?
   - ☐ una bicicleta
   - ☐ un coche
   - ☐ una habitación
   - ☐ un chorizo
2. Quería por favor…
   - ☐ un billete
   - ☐ una semana
   - ☐ una ensaimada
   - ☐ una cama extra
3. ¿A qué hora sale el / la próximo/-a…?
   - ☐ moto
   - ☐ tren
   - ☐ autobús
   - ☐ avión
4. ¿Está incluido/-a…?
   - ☐ el camarero
   - ☐ el desayuno
   - ☐ la vuelta
   - ☐ la comida
5. ¿Me puede decir dónde hay un/a…?
   - ☐ parada de taxis
   - ☐ aire acondicionado
   - ☐ mercado
   - ☐ oficina de Correos
6. ¿Nos ponen… para nuestro hijo?
   - ☐ una cama
   - ☐ una cocina
   - ☐ una silla
   - ☐ una bicicleta

## 9 a. Un curso de español en Mallorca.

¿Cuáles son las ventajas de alojarse en un apartamento (a) o en casa de una familia (f)?

- ☐ Salgo cuando quiero, también por la noche.
- ☐ Traigo a mis compañeros a dormir.
- ☐ Cocinan para mí.
- ☐ No tengo que dar explicaciones si no quiero comer.
- ☐ Pongo la música que me gusta.
- ☐ Tengo que seguir las reglas de la casa.
- ☐ Puedo hablar con gente en las comidas.
- ☐ Tengo un contacto personal con la gente.

**b. Y tú, ¿qué prefieres?**

*Prefiero vivir con una familia porque...*

**10 ¿Qué profesión tiene?**
Lee este fragmento de entrevista y complétalo con las formas verbales.
¿Qué profesión tiene la persona entrevistada?

- Usted ............ *(ser)* una persona muy famosa y además ............ *(estar)* en un momento especial de su vida, ¿no?
- ○ Bueno. Sí, ............ *(tener)* muchos proyectos muy interesantes y en este momento ............ *(hacer)* una película con mi director favorito.
- Ah, qué bien... Y usted ............ *(tener)* un hijo pequeño. ¿Cómo ............ *(organizar)* su vida familiar?
- ○ Sí, David ............ *(tener)* dos años, y cuando yo ............ *(salir)* de viaje, ............ *(estar)* con mi ex marido.
- Entonces ustedes ............ *(tener)* una buena relación.
- ○ Sí, sí, excelente.

**11 Experiencias.**
¿Qué actividades has hecho alguna vez, varias veces o nunca?

bailar salsa | dormir en la playa | pasar las vacaciones en un hotel con animación | ir en moto | ir una semana de senderismo | comer ensaimadas | hacer una excursión por una isla | trabajar el domingo | escuchar un concierto al aire libre | reservar un hotel por internet | hacer un viaje organizado | ver un partido de fútbol en el estadio | tener problemas en un viaje | hablar español con un hispanohablante

*Hee bailado salsa algunas veces.*
*Nunca he dormido en la playa.*

**12 a. Un viaje por Cuba.**
Completa con el verbo en perfecto.

alquilar | conocer | escribir | estar | gustar | hacer (2x) | pensar | ser | ver

1. Josefina y Sonia ............ en Cuba.
2. (Ellas) ............ a muchas personas simpáticas.
3. El viaje ............ muy bonito.
4. Josefina y Sonia ............ un coche.
5. Y ............ toda la isla.
6. Ellas ............ muchas postales.
7. Y ............ muchas fotos.
8. Les ............ mucho el Ballet Nacional de Cuba.
9. Ellas ............ un curso de tango.
10. Josefina ............ mucho en su ex marido.

**b. ¿Qué frases son correctas?** ⏭ 34
Escucha la audición y marca las frases correctas.

## 13 Completa este texto sobre La Habana.

mucho | mucha | muchos | muchas | muy

Actualmente .................... turistas van a Cuba porque hay ofertas .................... buenas de .................... agencias de viajes. .................... gente visita en primer lugar la capital, La Habana, una ciudad .................... alegre y llena de .................... sorpresas. En .................... barrios de la ciudad hay por ejemplo .................... casas que son ejemplos maravillosos de arquitectura colonial. La Habana tiene .................... hoteles, además de .................... museos y galerías de arte. El barrio de El Vedado es .................... antiguo y para .................... cubanos es el centro de la vida de la ciudad. Tiene .................... tiendas y discotecas y también .................... restaurantes y centros nocturnos. Otro lugar .................... famoso es El Malecón. A los turistas les gusta .................... pasear por esta avenida al lado del maravilloso mar Caribe.

## 14 Elige la reacción adecuada.

| | |
|---|---|
| 1. Me gusta. | a. A mí tampoco. |
| 2. Gracias. | b. No, gracias. ¿Cuánto es? |
| 3. Lo siento. | c. No pasa nada. |
| 4. No me interesa. | d. De nada. |
| 5. ¿Algo más? | e. Bien, ¿y tú? |
| 6. ¿Qué tal? | f. A mí no. |

## 15 ¿Qué dices para reclamar?

¿Qué dices en estas situaciones? No te olvides de empezar con una fórmula de cortesía.

1. Tienes reservada una habitación con vistas al mar, pero te dan una con vistas a la calle.
2. Te dan un bocadillo de queso. Tú has pedido uno de jamón.
3. Has reservado tres entradas para el teatro. Te entregan dos.
4. Has alquilado un coche. El aire acondicionado no funciona.
5. Estás en un hotel y te quieres duchar, pero el agua caliente no funciona.

# Mundo profesional

## 16 Agenda de trabajo.

Lee las anotaciones en la agenda del Sr. Ramírez y escribe lo que ya ha hecho y lo que todavía no.

*Ya ha contestado el correo electrónico del día, pero todavía no...*

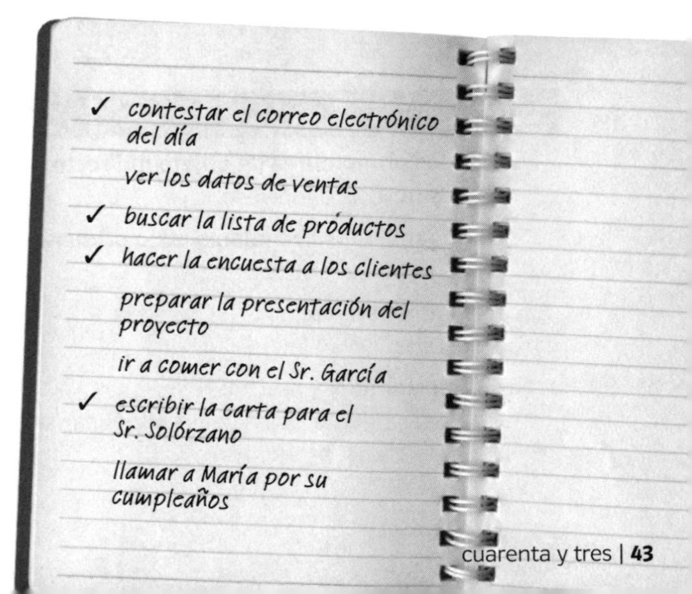

## Pronunciar bien

**17 a. /p/, /t/ y /k/.**

En algunas lenguas, la pronunciación de los sonidos **/p/**, **/t/** y **/k/** es aspirada, es decir, se realizan con un ligero soplo de aire. En español, no. Pronuncia las palabras **papá**, **tomate** o **kilo** con la palma de la mano a 10 cm. de la boca. ¿Notas el soplo en la palma? intenta pronunciarlas sin que se note nada.

**b. Lee y escucha estos trabalenguas.** ⏭ 35

Lee y escucha estos trabalenguas.

Poquito a poquito Paquito empaca poquitas copitas en poquitos paquetes.

Compro pocas copas, pocas copas compro
y como compro pocas copas, pocas copas pago.

Que si patatín, que si patatán.

## Portfolio

| Ya puedo... | 😊 | 🙂 | ☹ |
|---|---|---|---|
| **... reservar una habitación de hotel:**<br>¿Tienen ..........? .......... | ☐ | ☐ | ☐ |
| **... expresar preferencias:**<br>A mí me gusta .......... | ☐ | ☐ | ☐ |
| **... expresar acuerdo y descuerdo:**<br>A mí no. .......... | ☐ | ☐ | ☐ |
| **... pedir información:**<br>¿Dónde puedo ..........? .......... | ☐ | ☐ | ☐ |
| **... contar algo en el pasado:**<br>Esta semana he ido .......... | ☐ | ☐ | ☐ |
| **... hacer una reclamación y disculparse:**<br>Perdone, .......... | ☐ | ☐ | ☐ |

| También puedo... | 😊 | 🙂 | ☹ |
|---|---|---|---|
| **... usar los pronombres de objeto indirecto:**<br>A ellos no .......... interesa. .......... | ☐ | ☐ | ☐ |
| **... conjugar verbos irregulares en la primera persona:**<br>yo hago, .......... | ☐ | ☐ | ☐ |
| **... formar el perfecto:**<br>he estado, .......... | ☐ | ☐ | ☐ |
| **... diferenciar muy y mucho:**<br>.......... gente .......... simpática .......... | ☐ | ☐ | ☐ |

# Mirador 8

**1 Vocabulario y estructuras gramaticales.**
Lee el email y marca la palabra correcta.

Querido Matías:

Por fin ya [1] en Burgos. El viaje ha sido muy largo, porque desde el aeropuerto de Madrid [2] ido a Burgos [3] autobús.
La residencia está muy bien y para comer no hay problema porque al lado [4] un bar, pero también [5] ir al centro en diez minutos [6] pie.
Ya sabes que [7] interesa [8] la historia, por eso el domingo [9] hacer una excursión al Monasterio de las Huelgas.
Otros estudiantes están aquí desde el jueves y [10] han visitado algunos monumentos.

¡Hasta pronto! Sven

1. ☐ estoy ☐ soy
2. ☐ ha ☐ he
3. ☐ en ☐ con
4. ☐ está ☐ hay
5. ☐ se puede ☐ se puedo
6. ☐ a ☐ en
7. ☐ se ☐ me
8. ☐ muy ☐ mucho
9. ☐ quiero ☐ tengo
10. ☐ todavía ☐ ya

**2 Comprensión auditiva.** 36 – 39
Comprensión auditiva. Lee primero las frases y luego escucha cada texto dos veces. Marca si las frases son correctas (+) o incorrectas (-).

1. Situación:
   Estás en el aeropuerto y quieres tomar el avión para ir a París. Escucha lo que dicen:
   ☐ Usted tiene que ir a la puerta C58.
2. Situación:
   Preguntas cómo puedes ir a la catedral. Escucha lo que le dicen:
   ☐ No está lejos, puede ir a pie.
3. Situación:
   Preguntas en un hotel por el desayuno. Escucha lo que le dicen:
   ☐ El desayuno se puede tomar en la cafetería.
4. Situación:
   Preguntas en un restaurante cómo son las albóndigas. Escucha lo que le dicen:
   ☐ Las albóndigas de la casa no llevan mucho ajo.

**3 Respuestas adecuadas.** ⏭ 40

Lee primero las respuestas de a-e y escucha las preguntas 1-4 dos veces. Relaciona cada pregunta con la respuesta adecuada.

1. ☐
2. ☐
3. ☐
4. ☐

a. No pasa nada.
b. A mí tampoco.
c. A mí no.
d. Yo también.
e. No, eso es todo.

**4 Comprensión lectora.**

Lee primero el texto y las tres frases y luego marca si las frases son correctas (+) o incorrectas (-).

1. ☐ Todos los estudiantes de español visitan el domingo el monasterio.
2. ☐ Hay un precio especial para grupos.
3. ☐ La visita normal cuesta cinco euros.

Queridos estudiantes:

Este domingo ofrecemos una excursión al Monasterio de las Huelgas y todavía hay plazas libres. El autobús sale a las 9.30 de la puerta de la universidad. Si somos un grupo de más de veinte, la entrada cuesta sólo cinco euros con el carnet de estudiante. Si no, la entrada cuesta siete euros.

¡Hasta mañana!

Los profesores
Ana Rodríguez y Enrique Cuesta

**5 Expresión escrita.**

A un amigo le interesa hacer un curso de español. Ayúdale con el email.

Quiere saber…
- cuándo empieza el curso por la mañana
- si ofrecen excursiones
- si hay habitaciones individuales

Estimados señores:

Me llamo Gabriel Lindberg y me interesan los cursos de español de su universidad, pero tengo algunas preguntas. Primero...

.................................................................
.................................................................
.................................................................
.................................................................
.................................................................
.................................................................
.................................................................
.................................................................
.................................................................
.................................................................
.................................................................
.................................................................

# Caminando 9

## 1 Los colores.

¿Con qué color asocias las siguientes cosas? Añádelas a los colores de la tabla.
¿Puedes añadir una cosa más a cada color?

tomate | café | limón | plátano | lechuga | mar | yogur | arroz | tortilla | ajo | sol | piscina | árbol | noche | cielo | leche | gazpacho | manzana | pan | selva | chocolate | maíz

| blanco | amarillo | rojo | azul | verde | marrón | negro |
|---|---|---|---|---|---|---|
| | | | | | | |
| | | | | | | |
| | | | | | | |
| | | | | | | |

## 2 ¿Y tu ropa?

¿Qué hay en tu armario? Relaciona las palabras de las tres columnas para formar combinaciones con sentido. Ten en cuenta que las terminaciones tienen que concordar.

*Tengo un sombrero marrón y muchas camisetas blancas.*

| | | |
|---|---|---|
| un | camiseta | blanco |
| una | anorak | gris |
| unos | sombrero | negro |
| unas | pantalones | amarillo |
| muchos | falda | naranja |
| muchas | camisa | rojo |
| | zapatos | azul |
| | jersey | verde |
| | | marrón |

## 3 ¿Quién es quién?

Lee las siguientes frases e intenta averiguar todos los datos de los tres hombres.

**Mayor** y **menor** también se usan en relación con la edad:
**el mayor** = el que tiene más edad
**el menor** = el que tiene menos edad

1. Uno de los hombres tiene 24 años.
2. El que tiene 18 años es estudiante.
3. Juan Carlos tiene 45 años.
4. Dos son morenos y uno rubio.
5. El menor de los tres lleva una camiseta blanca.
6. Íñigo es más joven que Rubén.
7. El informático lleva una chaqueta verde.
8. El rubio tiene 24 años.
9. El camarero lleva una camisa roja.
10. El mayor es informático.

| | nombre | edad | profesión | ropa | pelo |
|---|---|---|---|---|---|
| 1 | | | | | |
| 2 | | | | | |
| 3 | | | | | |

## 4 ¿Dónde es más caro?

Completa las frases con comparaciones entre seis ciudades hispanas.

1. Una entrada de cine es .......................... (+) cara en Buenos Aires .......................... en Madrid.
2. Un litro de leche cuesta .......................... (-) en Madrid .......................... en Lima.
3. Un periódico es .......................... (=) caro en México .......................... en Nueva York.
4. Un billete de autobús es .......................... (=) barato en Lima .......................... en Caracas.
5. Un viaje en taxi de diez minutos es .......................... (-) caro en Lima .......................... en Caracas.
6. Nueva York es la ciudad .......................... (+) cara para viajar en autobús.
7. Los periódicos .......................... (+) caros se compran en Buenos Aires.
8. En Buenos Aires se pueden comer las hamburguesas .......................... (+) baratas.

## 5 a. El camino de Santiago. 41

Elías y Pilar hablan de sus experiencias en el Camino de Santiago. Marca las etapas que escuchas.

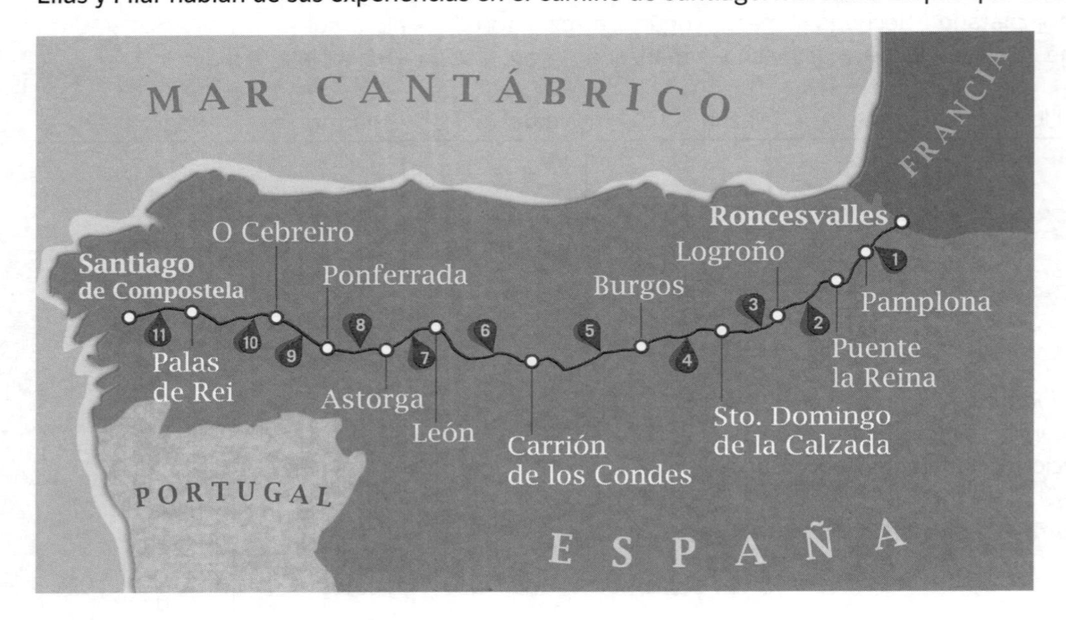


**b. Escucha otra vez.**

Completa la tabla.

| la etapa... | Elías | Pilar |
|---|---|---|
| ... más bonita | | |
| ... más dura | | |
| ... más larga | | |

## 6 Sustantivos y verbos.

Escribe el sustantivo o el verbo.

| | | | |
|---|---|---|---|
| almorzar | *el almuerzo* | la cena | *cenar* |
| desayunar | .......................... | la bebida | .......................... |
| comer | .......................... | el viaje | .......................... |
| cocinar | .......................... | el trabajo | .......................... |
| ducharse | .......................... | la ida | .......................... |
| entrar | .......................... | la vuelta | .......................... |

**7 a. ¿Qué hace Miguel en un día normal?**
¿Qué hace Miguel en un día normal? Describe su día con ayuda de las horas.

1. 8.00 levantarse
   A las ocho se levanta.
2. 8.10 ducharse
3. 8.25 desayunar
4. 8.45 irse a la universidad
5. 9.15 estar en clase
6. 14.00 comer
7. 17.00 volver a casa
8. 19.30 hacer deporte
9. 22.30 acostarse

**b. ¿Qué ha hecho Miguel hoy?** 42
Escucha y toma notas. Escribe algunas cosas que Miguel ha hecho diferente hoy.

Hoy Miguel se ha levantado a las doce.

**8 Preguntas con verbos reflexivos.**
Relaciona los elementos para formar preguntas con sentido. A veces hay más de una solución.

| | | |
|---|---|---|
| ¿Cómo | acostarse | en el examen? |
| ¿A qué hora | levantarse | los fines de semana? |
| ¿Es verdad que | cansarse | en las excursiones? |
| ¿Siempre | ducharse | antes del desayuno? |
| ¿Cuándo | concentrarse | en el trabajo? |
| ¿Por qué | relajarse | todos los días? |
| ¿Por qué no | aburrirse | después de comer? |

¿Cómo te concentras en el examen?

**9 La preposición a.**
Tacha la preposición **a** cuando sobra.

Querido Alberto:

¿Qué tal estás? Ya hemos llegado **a** Sevilla y hemos visitado **a** Rocío, la hermana de Juan. Tiene **a** tres niños muy simpáticos y por fin yo he podido conocer **a** su marido. También hemos visitado **a** monumentos famosos, por ejemplo **a** la Giralda y hemos comido **a** unas cosas deliciosas, porque Rocío conoce **a** los mejores bares. Mañana hacemos una excursión **a** la costa para conocer **a** los pueblos de la región y queremos probar otra vez **a** la cocina tradicional. ¡Ah! **A** la niña le he comprado unos zapatos preciosos para bailar flamenco y **a** ti también te llevamos **a** un regalo.

Besos,
Manolo y Celia

!
Delante del objeto directo va una **a** cuando se trata de una persona, a excepción del verbo tener:
¿Conoces **a** mi marido?
Tengo ~~a~~ dos hijos.
Recuerda que **a** se usa en muchos casos más, por ejemplo con el objeto indirecto o para indicar la dirección

**10 ¿Esta falda o esa?**
Lee estos diálogos y relaciónalos con los dibujos.

☐ ☐ ☐

1.
- Me encantan **esos** pantalones.
- ○ A mí también, pero no los necesito. Mira, **esta** falda es muy bonita.
- Sí, ¿cuánto cuesta?

2.
- ¿Has visto **esos** pantalones? Son bonitos, ¿verdad?
- ○ Sí, y **esa** falda tampoco está mal.

3.
- ¿Te gustan **estos** pantalones?
- ○ No mucho, la verdad. ¿Qué tal **esa** falda de ahí?
- Sí, es muy bonita, pero es muy cara.

**11 ¿De qué están hablando?** ⏭ 43
Escucha las siguientes frases y marca de lo que están hablando.

1. ☐ unos pantalones
   ☐ una mochila
2. ☐ unos espaguetis
   ☐ un bocadillo
3. ☐ un autobús
   ☐ una chica
4. ☐ una tarta
   ☐ un café
5. ☐ unos zapatos
   ☐ unas camisetas
6. ☐ un anorak
   ☐ una falda

**12 En una tienda de ropa.**
Estás en una tienda de ropa y quieres comprar una blusa. Completa el diálogo.

- *(Saludas a la dependienta y le dices que quieres una blusa.)*

  ..........................................................................................

- ○ ¿De qué color la quiere?
- *(Le dices que la quieres azul.)*

  ..........................................................................................

- ○ ¿Le gusta esta?
- *(Le dices que es muy grande.)*

  ..........................................................................................

- ○ ¿Y esta verde?
- *(Le dices que te gusta y le preguntas si la tiene en azul.)*

  ..........................................................................................

- ○ Lo siento, pero sólo la tenemos en verde.
- *(Le preguntas el precio.)*

  ..........................................................................................

- ○ 49 euros.

**13 Hablando del tiempo.**
¿Qué palabras asocias con las siguientes? En tu cuaderno, escribe tres como mínimo para cada una.

| | |
|---|---|
| buen tiempo | frío |
| lluvia | niebla |
| viento | nieve |

**14 ¿Qué están haciendo?**
¿Qué están haciendo estas personas en este momento?

*1. El señor está leyendo...*

**15 Antes del viaje.**
Esta familia casi está lista para salir de viaje. Contesta y fíjate en la posición del pronombre con el perfecto o con el gerundio.

1. • María, ¿has hecho ya las maletas?
   ○ *Sí, ya las he hecho. / En este momento estoy haciéndolas.*
2. • ¿Se han duchado ya los niños?
   ○ ........................................
3. • Pedro, ¿has hecho ya el desayuno?
   ○ ........................................
4. • ¿Los niños han preparado ya sus mochilas?
   ○ ........................................
5. • María, ¿has puesto ya los pasaportes en la maleta?
   ○ ........................................
6. • ¿Has llamado ya al taxi?
   ○ ........................................

> **!** Generalmente los pronombres van delante del verbo: *¿Las maletas? -Ya **las** he hecho.* Con el gerundio pueden ir delante o detrás del verbo. No te olvides de la tilde para conservar la entonación: ***Las** estoy haciendo. -Estoy haciéndo**las**.*

## Mundo profesional

**16 El primer día de trabajo.**
Mañana es el primer día de trabajo de un amigo. Dale algunos consejos.

| | |
|---|---|
| Es importante | llegar tarde a la oficina. |
| Es mejor | ponerse ropa nueva y elegante. |
| (No) es necesario | hablar mucho de su vida privada. |
| (No) se recomienda | aprender los nombres de los colegas. |
| (No) conviene | ir a comer con los colegas. |
| | hablar por teléfono con amigos. |
| | comprar un regalo para el jefe. |

*El primer día de trabajo no conviene llegar tarde a la oficina.*

## Pronunciar bien

**17 a. La** e **final.**

A diferencia de lo que sucede en otros idiomas, en español, se pronuncia la e claramente (abierta, corta) incluso en posición final de palabra.

**b. Lee el texto de la canción y luego comprueba con el CD.** ⏭ 44
Lee el texto en voz alta y fíjate especialmente en la pronunciación de la **e** al final de palabra. Verifica luego con el CD.

Duerme, mi niño,
duerme, mi sol,
duerme, pedazo
de mi corazón.
Duerme, mi nene,
que ya es de noche,
y los angelitos
pasean en coche.

## Portfolio

| Ya puedo... | ☺ | 😐 | ☹ |
|---|---|---|---|
| **... hacer comparaciones:**<br>El hotel es ........ caro ........ el albergue. ........ | ☐ | ☐ | ☐ |
| **... describir la rutina diaria:**<br>Me levanto a las ........ | ☐ | ☐ | ☐ |
| **... hablar del tiempo:**<br>☀ ........ 🌧 ........ ☁ ........ | ☐ | ☐ | ☐ |
| **... dar consejos:**<br>Es mejor ........ . Se recomienda ........ | ☐ | ☐ | ☐ |
| **... contar lo que está pasando:**<br>¿Qué estás haciendo? ........ | ☐ | ☐ | ☐ |

| También puedo... | ☺ | 😐 | ☹ |
|---|---|---|---|
| **... describir la ropa usando colores:**<br>Tengo unos pantalones ........ y una camiseta ........ | ☐ | ☐ | ☐ |
| **... usar las formas irregulares del comparativo:**<br>grande – ........, bueno – ........, malo – ........ | ☐ | ☐ | ☐ |
| **... conjugar los verbos reflexivos:**<br>yo me levanto, ........ | ☐ | ☐ | ☐ |
| **... conjugar el verbo conocer:**<br>yo conozco, ........ | ☐ | ☐ | ☐ |
| **... señalar algo que está al alcance o más lejos:**<br>este ........, esa ........ | ☐ | ☐ | ☐ |
| **... formar el gerundio:**<br>visitar – visitando, salir – ........, leer – ........ | ☐ | ☐ | ☐ |

# Tengo planes 10

**1** **a. Actividades.**
Escribe las posibles combinaciones.

| | | |
|---|---|---|
| ir | — | el cine |
| jugar | a | el tenis |
| leer | de | internet |
| navegar | con | compras |
| tocar | en | el desayuno |
| cantar | por | bicicleta |
| preparar | | el parque |
| salir | | un coro |
| pasear | | amigos |
| | | el piano |
| | | el periódico |
| | | un pastel |

**b. ¿Y tú?**
Elige dos actividades de tiempo libre y dos tareas del hogar e indica con qué frecuencia las haces.

*Normalmente juego al tenis una vez por semana.*

**2** ¿Saber **o** poder?
Añade el verbo adecuado.

1. • Perdone, ¿.................. decirme dónde está la parada de autobús?
   ○ Lo siento, pero es que no soy de aquí.
2. • Me encanta ir a esa discoteca porque también se .................. bailar salsa. ¿Quieres venir?
   ○ Gracias, pero no .................. bailar.
3. • ¿Queréis venir a casa el domingo a cenar? Javier .................. hacer una paella fantástica.
   ○ ¡Sí, gracias! Pero, ¿ .................. venir también mi hermana? Es que este fin de semana está de visita.

**3** **Una visita a Madrid.**
Pasas un fin de semana en Madrid. Describe la primera noche, lo que has hecho ese día y lo que vas a hacer al día siguiente.

1. visitar el Museo del Prado
2. hacer compras en la Gran Vía
3. comer algo en el Museo del Jamón
4. ir a la Puerta del Sol
5. pasear por el Parque del Retiro
6. ver el estadio Santiago Bernabéu
7. escribir postales
8. descansar en la Plaza Mayor
9. recorrer la ciudad en autobús turístico

*Querido/-a...*
*Madrid es una ciudad fascinante.*
*Hoy he...*
*Mañana voy a...*

**4 ¿Por qué no quedamos?**
Lee los SMS y reacciona.

1. ¿Tomamos algo en el Quijote?
☺ ..............................
2. ¿Venís con nosotros al cine a las siete?
☹ ..............................
3. ¿Vamos a bailar el sabado?
☹ ..............................
4. ¿Vamos a correr al parque después del trabajo?
☺ ..............................

**5 Completa esta llamada telefónica.**

- ¿Dígame?
○ *(saluda y di quién eres.)*
..............................
- Ah, ¡hola! ¿Qué tal?
○ *(pregunta si tu amiga tiene ganas de ir al cine.)*
..............................
- ¡Buena idea! ¿A qué hora quedamos?
○ *(proponle quedar a las 20 h delante del cine.)*
..............................
- Muy bien, de acuerdo.
○ *(expresa alegría y despídete.)*
..............................

**6 Completa este correo electrónico con los pronombres adecuados.**

Hola, Nuria:

Esta semana no .......... he llamado, perdona. Es que mi hermana Ángela está con.......... aquí en casa por dos semanas. Estoy pasando mucho tiempo con .......... porque .......... veo muy poco y a nosotras .......... encanta estar juntas. Tú .......... conoces. ¿La recuerdas? Es la que vive en Chile. ¡Pero como ves, no .......... olvido! Un día de estos .......... llamo y salimos las tres juntas, ¿vale?

Beso, Lety

**7 ¿Puedes describir los platos siguientes?**

| | Se come frío. | Se come caliente. | ¿Qué lleva? |
|---|---|---|---|
| gazpacho | x | | *tomate y otras verduras* |
| ensalada mixta | | | |
| tortilla española | | | |
| patatas bravas | | | |
| macedonia de frutas | | | |
| paella | | | |
| albóndigas | | | |

*El gazpacho es una sopa fría que lleva tomate y otras verduras.*

## 8 Los restaurantes de moda.

Tacha los pronombres de relativos incorrectos.

***¿Conoce usted los restaurantes donde / que están de moda en Madrid?***

En el centro le recomendamos el restaurante Sergi Arola, donde / que el famoso chef presenta sus creaciones en un ambiente muy exclusivo. En las afueras, usted puede comer en el Antiguo Convento de Boadilla del Monte, donde / que se sirven excelentes carnes y platos tradicionales. Otra posibilidad es La Dorada, un restaurante donde / que ofrece especialidades de pescado y donde / que los clientes cenan en pequeñas cabinas. Finalmente, recomendamos The Grill Club, un restaurante donde / que usted puede disfrutar de un menú internacional y donde / que es conocido por sus platos especiales.

## 9 ¿Sabes el origen de estas cosas?

Añade los adjetivos de nacionalidad.

1. ● ¿La sangría?
   ○ Una bebida ............................................ .
2. ● ¿El tango?
   ○ Un baile ............................................ .
3. ● ¿Los espaguetis?
   ○ Una especialidad ............................................ .
4. ● ¿El champán?
   ○ Un plato ............................................ .
5. ● ¿Los Apeninos?
   ○ Unas montañas ............................................ .
6. ● ¿El Mercedes?
   ○ Un coche ............................................ .
7. ● ¿IKEA?
   ○ Una tienda de muebles ............................................ .
8. ● ¿Zara?
   ○ Una marca de ropa ............................................ .

## 10 ¡Qué rico!

Relaciona las partes para obtener nombres de platos de comida.

| | | |
|---|---|---|
| calamares<br>pollo<br>merluza<br>helado<br>chuleta<br>tarta<br>sopa<br>zumo<br>ensalada<br>bocadillo<br>arroz<br>gambas<br>tortilla | de<br>al<br>a la | chocolate<br>cerdo<br>patatas<br>ajillo<br>verdura<br>tomate<br>horno<br>jamón<br>manzana<br>plancha<br>cubana |

**de:** ingredientes
**al / a la:** el modo de preparación

EL MENU DEL DIA

PRIMER PLATO

SEGUNDO PLATO

POSTRE

BEBIDA

**11** **a. En el restaurante.**
Relaciona los alimentos con los platos o bebidas y añade por lo menos uno.

zumo de naranja | gambas a la plancha | helado de chocolate | cerveza | merluza frita | sopa de tomate | agua con o sin gas | macedonia de frutas | espaguetis | chuleta de cerdo | tarta de queso | ensalada de tomate | vino de la casa | pollo al ajillo | crema catalana

**b. Completa la conversación.** ⏭ 45
Completa el diálogo con las frases de los clientes. Luego verifica con el CD.

- ● Buenas tardes. ¿Qué van a tomar?
- ○ ..........
- ■ ..........
- ● De acuerdo. ¿Para beber, qué les traigo?
- ○ ..........
- ■ ..........
- ● Muy bien. ¿Quieren elegir el postre ya o más tarde?
- ○ ..........
- ■ ..........

…
- ● ¿Algo más, señores?
- ■ ..........
- ● Claro, enseguida.

○ Yo no quiero postre, gracias.
○ Una botella grande de agua, por favor. Con dos vasos.
○ Buenas tardes. Para mí primero una sopa de tomate y luego la merluza.
■ Sí, dos cafés. Tenemos un poco de prisa. ¿Nos trae la cuenta, por favor?
■ Yo sí, y ya sé qué quiero: crema catalana.
■ Pues yo tomo de primero los espaguetis y de segundo la chuleta.
■ Y para mí además una copa de tinto de la casa.

**c. ¿Y tú?**
Escribe lo que pedirías tú. *De primero...*

**12** **a. ¿Otro/-a o un poco más de?**
Pídele al camarero las siguientes cosas.

1. Perdón, quería .........., por favor.
2. ¿Me puede traer ..........?
3. Para mí .........., por favor.
4. ¿Me trae .........., por favor?
5. Camarero, .......... de chocolate, por favor.

**b. ¿Qué más quieres?**
¿Quieres un poco más o quieres cambiar? Marca las siguientes palabras con colores diferentes dependiendo si se combinan con **otro/-a** o con **un poco más de**.

dinero | puesto de trabajo | sello | tarta de queso | pan | cerveza | abrazo | chocolate | programa informático | tortilla | filete de ternera | botella de agua | tiempo libre

*Quiero un poco más de dinero.*

**13 ¿Ser o estar?**
Completa con el verbo adecuado.

1. • ¿Cómo .................... las patatas, Lola?
   ○ .................... muy picantes, ¡tienen mucho tabasco!
2. • La merluza .................... un pescado, ¿verdad?
   ○ Sí, señora, y hoy la tenemos con salsa de vino blanco. .................... muy rica.
3. • ¿Cuál .................... el vino de la casa?
   ○ .................... un Rioja. .................... un tinto muy bueno.
4. • Mi café no .................... caliente.
   ○ ¿De verdad? Mi té sí .................... caliente, ¡muy, muy caliente!

!
Usamos **estar** para valorar una comida y **ser** para definirla.

**14 ¿Cómo dices...?**
Expresa estas ideas de otra manera. En negrita aparece lo que debes mantener igual.

1. **La sopa** no está caliente.
2. **El gazpacho** no se consume caliente.
3. **El postre está muy** bueno.
4. **La tarta** tiene mucho azúcar.
5. **La salsa de la carne** pica.
6. **Los tacos** proceden de México.

## Mundo profesional

**15 Una reserva.** 46
Escucha la reserva y completa.

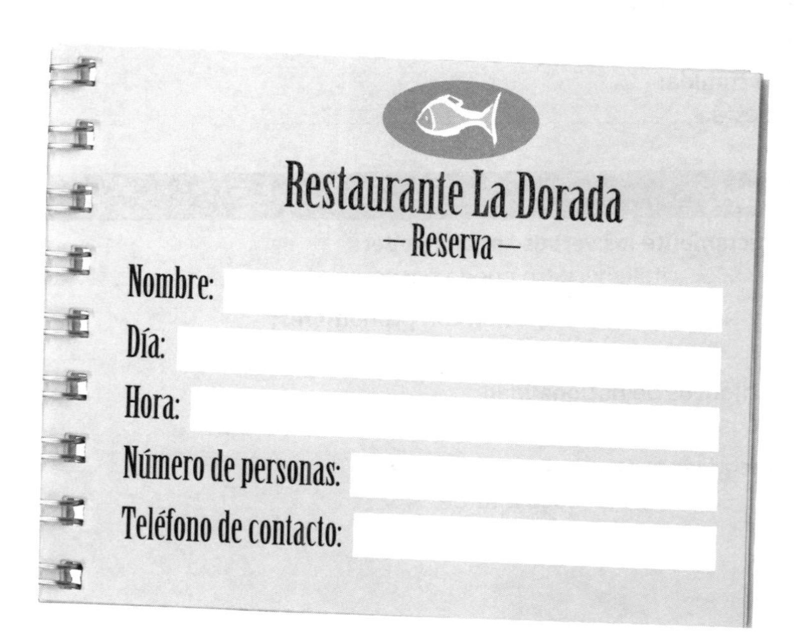
Restaurante La Dorada
— Reserva —
Nombre:
Día:
Hora:
Número de personas:
Teléfono de contacto:

## Pronunciar bien

**16 a. La** ch **y la** ll.

Conviene fijarse en la pronunciación en español de ch y ll, ya que estas dos letras pueden tener realizaciones diversas en diferentes lenguas.

**b. Lee y escucha estas frases.** 47
Lee estas frases y verifica luego con el CD.

Del dicho al hecho hay un buen trecho.

Te he dicho que dejo dos trajes bien hechos.

Estrella, illevas la llave en un llavero brillante!

Sí, es brillante el llavero de Estrella en el que lleva la llave.

## Portfolio

| Ya puedo... | ☺ | ☺ | ☹ |
|---|---|---|---|
| **... hablar de actividades de tiempo libre:**<br>En mi tiempo libre me gusta ............ | ☐ | ☐ | ☐ |
| **... describir planes y eventos en el futuro:**<br>El sábado voy a ............ | ☐ | ☐ | ☐ |
| **... hacer, aceptar o rechazar una propuesta:**<br>¿Tienes ganas de ............ ? – Lo siento, es que ............ | ☐ | ☐ | ☐ |
| **... quedar con alguien y acordar la hora y el lugar:**<br>¿Cuándo quedamos? – ¿Qué tal ............ ? ............ | ☐ | ☐ | ☐ |
| **... describir algo:**<br>Es un plato que ............ | ☐ | ☐ | ☐ |
| **... pedir en un restaurante:**<br>De primero ............ | ☐ | ☐ | ☐ |
| **... valorar la comida:**<br>La carne está ............ | ☐ | ☐ | ☐ |

| También puedo... | ☺ | ☺ | ☹ |
|---|---|---|---|
| **... usar correctamente los verbos saber y poder:**<br>No ............ italiano, pero puedo hacer un curso. ............ | ☐ | ☐ | ☐ |
| **... usar preposiciones en combinación con pronombres:**<br>conmigo, ............ | ☐ | ☐ | ☐ |
| **... usar los adjetivos de nacionalidad:**<br>Me gustan las películas ............ | ☐ | ☐ | ☐ |
| **... usar correctamente otro y un poco más de:**<br>otro/-a ............, un poco más de ............ | ☐ | ☐ | ☐ |

# Mi nueva casa 11

## 1 El piso de Chema.

Chema describe a un amigo su piso. Completa con las siguientes palabras.

planta | mudanza | luz | afueras | metro | ventanas | ruidoso | edificio | piso

- ¿Qué tal tu piso, Chema?
- El .................... me gusta mucho. Estoy muy contento. Pero la .................... ha sido horrible. ¡Por fin hemos terminado!
- Está en las ...................., ¿verdad?
- Sí, pero está muy cerca del ..................... Me gusta mucho porque tiene mucha .................... y las .................... son muy grandes. Además no es .................... porque está en una calle donde casi no pasan coches.
- Oye, y Alberto vive cerca, ¿no?
- Sí, vive en el mismo ...................., en la .................... baja. Ya hemos quedado el miércoles para tomar algo juntos...

## 2 ¿Qué palabra no corresponde al grupo?

¿Puedes añadir a cada grupo una palabra más?

1. nevera | organizadora | lavadora | microondas
2. cocina | dormitorio | salón | escritorio
3. regalo | estantería | silla | cama
4. tranquilo | renovado | moderno | rápido
5. metro | piso | autobús | tren
6. televisor | radio | móvil | ordenado
7. a la derecha | al lado | al horno | en el centro

## 3 ¿De qué están hablando? ⏭ 48

Escucha los diálogos y marca de qué están hablando en cada caso.

1. ☐ un escritorio
   ☐ un armario
2. ☐ un televisor
   ☐ un sofá
3. ☐ una nevera
   ☐ una lavadora
4. ☐ una lámpara
   ☐ un libro
5. ☐ un jersey
   ☐ un espejo
6. ☐ un salón
   ☐ un piso

**4 a. Estamos buscando piso.** 49

Lee los anuncios y luego escucha la conversación telefónica entre Antonio y su mujer. ¿Qué piso van a visitar primero?

**ALBERTO AGUILERA**
Apartamento, 110 m², 4 dormitorios, salón, cocina amueblada, baño completo, 4° piso, exterior, con mucha luz, renovado, sin ascensor.
Precio: 850 €.
Telf.: 906 51 55 28. Ref.: 59844162

**ALCALÁ** Piso amueblado, 3 dorm., con mucha luz, muy tranquilo, interior, aire acondicionado, cerca del metro y de centros comerciales.
Precio: 952 €.
Telf.: 906 51 55 28. Ref.: 59904176

**ALAMEDA DE OSUNA** Piso 4 dormitorios, 2 baños, terraza 40 m², aire acondicionado, cocina sin amueblar, plaza garaje, piscina.
Taula Gestión Inmobiliaria.
Precio: 1.050 €.
Ref.: 59837262

**b. Escucha otra vez.**

Escucha la conversación otra vez y escribe las ventajas e inconvenientes de cada piso.

| | Alberto Aguilera | Alcalá | Alameda de Osuna |
|---|---|---|---|
| ventajas | | | |
| | | | |
| inconvenientes | | | |
| | | | |

**5 ¿Dónde está la pelota?**

Dibuja la pelota en el lugar que se indica.

La pelota está a la derecha de la silla.

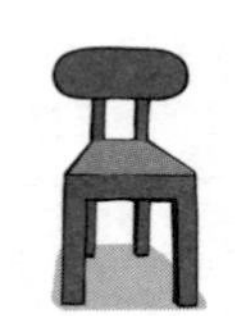
La pelota está delante de la silla.

La pelota está debajo de la silla.

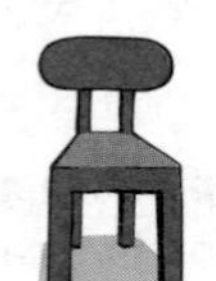
La pelota está al lado de la silla.

La pelota está entre las sillas.

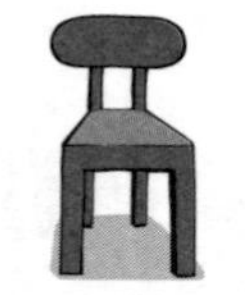
La pelota está en la silla.

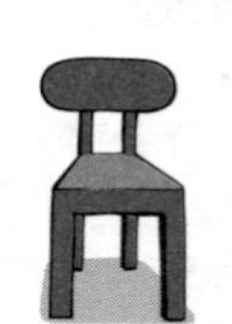
La pelota está a la izquierda de la silla.

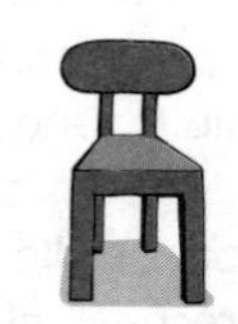
La pelota está detrás de la silla.

**6 El plano del piso.**

Mira el piso de la página 114 del libro del alumno durante un minuto y fíjate sobre todo en la distribución de las habitaciones. Lee luego las frases y corrige los datos incorrectos.

1. Hay tres dormitorios.
2. El salón está a la izquierda de la cocina.
3. La cocina está entre el salón y un dormitorio.
4. El baño está detrás, a la derecha.
5. Al lado de un dormitorio está la terraza.
6. La cocina es más grande que el salón.
7. En el salón hay un gato debajo del sofá.

## 7 ¡Qué práctico!

Lee los siguientes cumplidos y reacciona.

1. • Uy, ¡qué casa tan bonita!
   ○ ........................................

2. • ¡Qué cocina más moderna!
   ○ ........................................

3. • Llevas un jersey precioso. ¿Es nuevo?
   ○ ........................................

4. • Me encanta tu sofá.
   ○ ........................................

## 8 ¿Presente o indefinido?

Distribuye las formas verbales en la columna correspondiente.

hablo | vive | llegaste | usó | encontré | explicamos | como | fuimos | bebemos | bebimos | trabajasteis | vivimos | toman | explicaron | preguntáis | explican | comió | llegas | fui

La 1ª persona singular del presente y la 3ª persona singular del indefinido de los verbos en **-ar** se diferencian sólo en la pronunciación y en la acentuación: *yo trabajo-el trabajó*.
Las formas verbales de la 1ª persona de plural de los verbos en **-ar** e **-ir** son iguales en el presente y en el indefinido: *trabajamos, vivimos*. Por el contexto sabremos si se trata del presente o del pasado.

| presente | indefinido |
|---|---|
| | |
| | |
| | |
| | |
| | |
| | |

## 9 Una biografía.

Lee la biografía de la dibujante argentina Maitena y completa con los verbos en indefinido.

**Maitena Burundarena** ........................ *(nacer)* en 1962 en Buenos Aires.
En los años 80 ........................ *(publicar)* cómics eróticos y ........................ *(trabajar)* como dibujante para periódicos y revistas de Argentina.
En 1993 ........................ *(empezar)* a hacer una página de humor, "Mujeres alteradas", que en 1999 ........................ *(salir)* también en el periódico *El País* de Madrid.
Poco después varios periódicos ........................ *(publicar)* los cómics de Maitena en diferentes idiomas: francés, italiano, portugués, catalán, griego, alemán y otros.
Entre 1998 y 2003 Maitena ........................ *(dibujar)* también un cómic todos los días para el periódico argentino *La Nación* con el título "Superadas".
En 2003 ........................ *(empezar)* a publicar en el mismo periódico la página de humor "Curvas peligrosas".
Actualmente sus cómics aparecen en muchos periódicos internacionales.

**10 Algunos datos históricos.**
Lee las fechas de algunos momentos históricos. ¿Cuándo sucedieron? Relaciona los elementos y escribe los verbos en indefinido.

| | |
|---|---|
| A principios del siglo XX los hermanos Wright | inventar el primer coche. |
| En 1965 los Beatles | hablar por primera vez por teléfono. |
| En mayo del 68 los estudiantes franceses | inventar el primer avión. |
| En 1875 Alexander Graham Bell | escribir *Don Quijote de la Mancha*. |
| En 1885 Karl Benz | cantar por primera vez *El submarino amarillo*. |
| En el siglo XVII Cervantes | salir a la calle para protestar contra la política. |
| En 2008 España | llegar a la luna en el Apolo 11. |
| En julio de 1969 Neil Armstrong | ganar el Campeonato Europeo de Fútbol. |

**11 a. Un día diferente.**
Compara lo que hace Pedro normalmente con lo que hizo el domingo pasado.

| **normalmente** | **el domingo** |
|---|---|
| levantarse a las siete | levantarse a las diez |
| ir al trabajo sin desayunar | desayunar en la cama |
| comer en la cafetería de la empresa | comer en casa |
| tomar dos cafés en la oficina | tomar un café con los amigos |
| llamar por teléfono a sus clientes | llamar a su novia |
| no tener tiempo de ver a los amigos | ir de excursión con ellos |
| trabajar muchas horas | ir al cine |
| acostarse antes de las diez | acostarse muy tarde |

*Normalmente Pedro se levanta a las siete, pero el domingo se levantó a las diez.*

**b. ¿Y tú?**
¿Qué hiciste el domingo?

*Yo me levanté...*

**12 a. Marcadores de tiempo.**
Ordena los marcadores temporales cronológicamente.

en 2002 | hace dos años | hoy | ayer | esta semana | el mes pasado | el 3 de marzo | hace dos días | el verano pasado | esta mañana | en octubre | el viernes

**b. Con colores.**
Marca con colores diferentes los marcadores para el perfecto y para el indefinido.

### 13 ¿Perfecto o indefinido?

**Fíjate en los marcadores temporales y añade la forma verbal en perfecto o indefinido.**

1. Hace tres años Juan y María .................................... *(conocerse)* en Cuba y este año Juan .................................... *(empezar)* a pensar en casarse con ella.
2. Hoy María .................................... *(volver)* temprano del trabajo y Juan le .................................... *(preparar)* una sorpresa. Él la .................................... *(invitar)* a ir a cenar, porque hace bastante tiempo que .................................... *(salir)* juntos por última vez.
3. Juan .................................... *(reservar)* una mesa en el restaurante "El Asador de Patxi". Es un restaurante excelente que .................................... *(abrir)* hace un mes. Él .................................... *(cenar)* allí con su jefe la semana pasada y la comida le .................................... *(parecer)* exquisita.

### 14 ¿Cuándo?

**Lee las frases y marca el momento fijándote en el tiempo verbal.**

1. Viajé por la Panamericana.
   - ☐ Este año.
   - ☐ El año pasado.
2. Visitaron el Museo del Prado.
   - ☐ En 2003.
   - ☐ Esta mañana.
3. Mi padre vivió en Argentina muchos años.
   - ☐ Todavía vive en Argentina.
   - ☐ Ahora vive en otro país.
4. He comprado un regalo.
   - ☐ Para la fiesta de cumpleaños de hoy.
   - ☐ Para el cumpleaños de ayer.
5. Nos ha gustado mucho.
   - ☐ La película de ayer.
   - ☐ Esta clase de español.

## Mundo profesional

### 15 Una encuesta.

**Tu empresa ha hecho una encuesta a sus empleados sobre la vivienda. Escribe con ayuda de los diagramas un informe y usa el mayor número posible de estos cuantificadores.**

casi todos | la mayoría | muchos | la mitad | algunos | pocos | casi nadie | nadie

*La mayoría de los empleados vive en casa propia.*

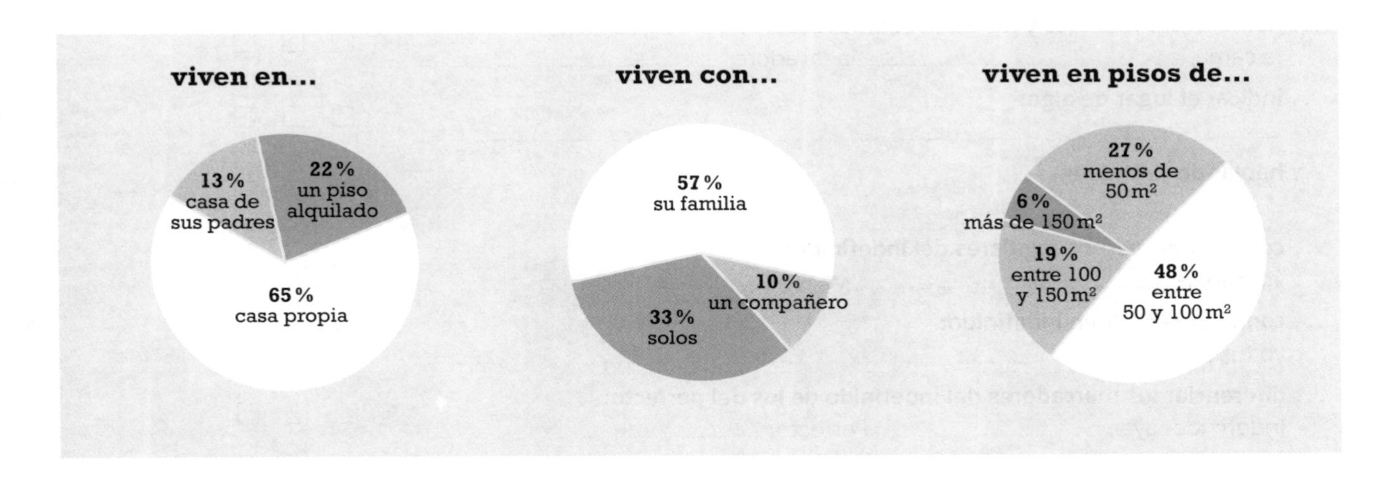

## Pronunciar bien

**16** **a. Sílabas tónicas con trampa.**

Hay palabras españolas que se parecen mucho a las de otras lenguas, pero que tienen una diferencia en su pronunciación: la sílaba tónica, por ejemplo: **professor-profesor**, **therapy-terapia**, **atmosphère-atmósfera**. La pronunciación incorrecta de estas palabras no dificulta la comunicación, pero sí hace que lo que decimos suene menos a español.

**b. Lee y marca la sílaba tónica.** ⏭ 50

Lee y marca la sílaba tónica de las palabras en negrita. Luego verifica con el CD.

Me he comprado un **sofá** precioso.
En las vacaciones voy a **Ibiza** o a **Caracas**.
Llamé por **teléfono** a la **farmacia** y pedí una **fotocopia** de la receta.
Estudiamos **matemáticas** y **física** en **Uruguay**.

## Portfolio

| Ya puedo... | 😃 | 🙂 | ☹ |
|---|---|---|---|
| **... describir un piso:**<br>Mi casa es .................... . Hay .................... | ☐ | ☐ | ☐ |
| **... hacer cumplidos y reaccionar a uno:**<br>¡.......... zapatos más .................... ! – ¿Tú ....................? Pues .................... | ☐ | ☐ | ☐ |
| **... hablar de biografías:**<br>Nació en .................... | ☐ | ☐ | ☐ |
| **... hablar del pasado:**<br>Vivió varios años en .................... | ☐ | ☐ | ☐ |

| También puedo... | 😃 | 🙂 | ☹ |
|---|---|---|---|
| **... nombrar las habitaciones de un piso:**<br>el salón, .................... | ☐ | ☐ | ☐ |
| **... nombrar los muebles y los electrodomésticos:**<br>la cama, .................... la lavadora, .................... | ☐ | ☐ | ☐ |
| **... indicar el lugar de algo:**<br>.................... | ☐ | ☐ | ☐ |
| **... hablar de cantidades:**<br>.................... | ☐ | ☐ | ☐ |
| **... conjugar los verbos regulares del indefinido:**<br>yo trabajé .................... , yo viví .................... | ☐ | ☐ | ☐ |
| **... conjugar ser e ir en indefinido:**<br>yo fui, .................... | ☐ | ☐ | ☐ |
| **... diferenciar los marcadores del indefinido de los del perfecto:**<br>Indefinido: ayer, .................... Perfecto: .................... | ☐ | ☐ | ☐ |

# Mirador 12

**1 Vocabulario y estructuras gramaticales.**
Lee esta postal y marca en cada número la palabra correcta.

Querida Beatriz:

Ya estoy [1] Cusco, ¡y es de verdad un lugar maravilloso!
Desde aquí [2] hacer la ruta del Camino Inca. Yo [3] unos días antes de empezar la excursión, porque es importante [4] a la altura.
No he tenido problemas con el "soroche". Además [5] una persona deportista y por eso creo que [6] voy a tener problemas con los pies...
Y eso que vamos a subir y subir por la montaña, con la mochila, y a veces bajo la [7].
Ya he conocido [8] algunos de mis compañeros de viaje y son todos muy [9].
Bueno, te escribo a la vuelta. ¡Mañana [10] levantarnos a las cinco de la mañana!

Un abrazo,
Arturo

1. ☐ en ☐ a
2. ☐ voy ☐ voy a
3. ☐ llegó ☐ llegué
4. ☐ se adaptar ☐ adaptarse
5. ☐ soy ☐ estoy
6. ☐ tampoco ☐ también no
7. ☐ lluvia ☐ llueve
8. ☐ — ☐ a
9. ☐ simpático ☐ simpáticos
10. ☐ tenemos que ☐ tenemos

**2 a. Comprensión auditiva (selectiva).** ⏭ 51 – 54
Lee las frases y escucha cada texto dos veces. Luego marca si las frases son correctas (+) o falsas (–).

1. Situación:
Escuchas un programa de radio sobre el Camino de Santiago. Escucha lo que dicen:
☐ El Camino Francés pasa por Pamplona.

2. Situación:
Una actriz habla de su vida y comenta lo siguiente:
☐ Los fines de semana quiere hacer muchas cosas.

3. Situación:
Estás en un restaurante y quieres el menú del día. El camarero te dice:
☐ No puedes comer gazpacho hoy.

4. Situación:
Una amiga se ha mudado a un nuevo piso. Te comenta:
☐ Todavía no ha tenido tiempo de comprar todo lo necesario.

**b. Comprensión auditiva (detallada).** ⏭ 55–58
Lee los diálogos y escucha cada texto dos veces. Luego marca las respuestas correctas.

1. • ¿A qué hora llega el tren?
   ○ Pues yo creo que a las ................... .
   a. 10.15 b. 10.40

2. • ¿Cuántos kilómetros son?
   ○ Unos ................... .
   a. 50 b. 500

3. • ¿Cómo se llama la montaña que se ve desde la Paz?
   ○ ................... . Se escribe con elle.
   a. Illimani b. Iyimani

4. • ¿Tú sabes en qué año llegó el chocolate a Europa?
   ○ En ..................., en el cuarto viaje de Cristóbal Colón.
   a. 1504 b. 1540

**3 Respuestas adecuadas.** ⏭ 59
Lee las respuestas a–e y escucha dos veces las preguntas 1–4. Luego elige la respuesta adecuada para cada pregunta.

1. ☐
2. ☐
3. ☐
4. ☐

a. En el salón.
b. Sí, buena idea.
c. A mí tampoco.
d. Yo también.
e. No, nada, gracias.

**4 a. Comprensión lectora (global).**
Lee los textos y elige el título adecuado para cada uno.

a. Precios más bajos en Venezuela
b. Llega el frío
c. Un regalo muy original
d. Más comunicación, mejor información

El cambio se presenta casi de la noche a la mañana: los expertos dicen que las temperaturas van a bajar esta semana de los 20° del domingo hasta los 5° del jueves. Además, para hoy y para mañana se espera lluvia y mucho viento en casi toda la región.

1

**Venezuela tiene desde hoy su satélite "Simón Bolívar" girando alrededor de nuestro planeta.** Se trata de un proyecto realizado junto con China, país que ha ofrecido la tecnología necesaria. Gracias a este satélite va a haber mejores conexiones de internet y teléfono y programas de medicina y educación para la televisión.

2

Un grupo de estudiantes de Puebla produce figuras de chocolate con diseño prehispánico. Las figuras se venden junto con una tarjeta de Navidad en la que se lee una frase en náhuatl y su traducción. La idea de estos jóvenes no sólo es ofrecer un producto muy especial. También quieren recordar el origen del chocolate y dar a conocer un poco la lengua de los antiguos mexicanos.

3

**b. Comprensión lectora (detallada).**
Lee primero el correo electrónico y luego marca si las frases son correctas (+) o falsas (–).

Maria Elena…
1. ☐ quiere visitar a una amiga que vive en Madrid.
2. ☐ no puede llegar antes de las 7.
3. ☐ no ha visto a su amiga durante mucho tiempo.

Querida María Elena:

Vienes ya mañana, ¡qué bien! No sé si me has dicho a qué hora llegas, pero he olvidado decirte que salgo un poco tarde de la oficina. Como soy nueva, no puedo salir antes de las siete. Si llegas a Madrid antes de esa hora, no pasa nada porque mi vecina tiene la llave de mi piso. Y si quieres, puedes tomar un café en la cafetería de al lado. Es un café tradicional.
¡Qué ilusión pasar el fin de semana juntas después de tanto tiempo! ¡Va a ser un fin de semana completo!
Nos vemos pronto.

Un abrazo, Carmen

**c. Comprensión lectora (selectiva).**
Mira primero las ofertas de una escuela de idiomas. Lee después las preguntas y marca las respuestas adecuadas.

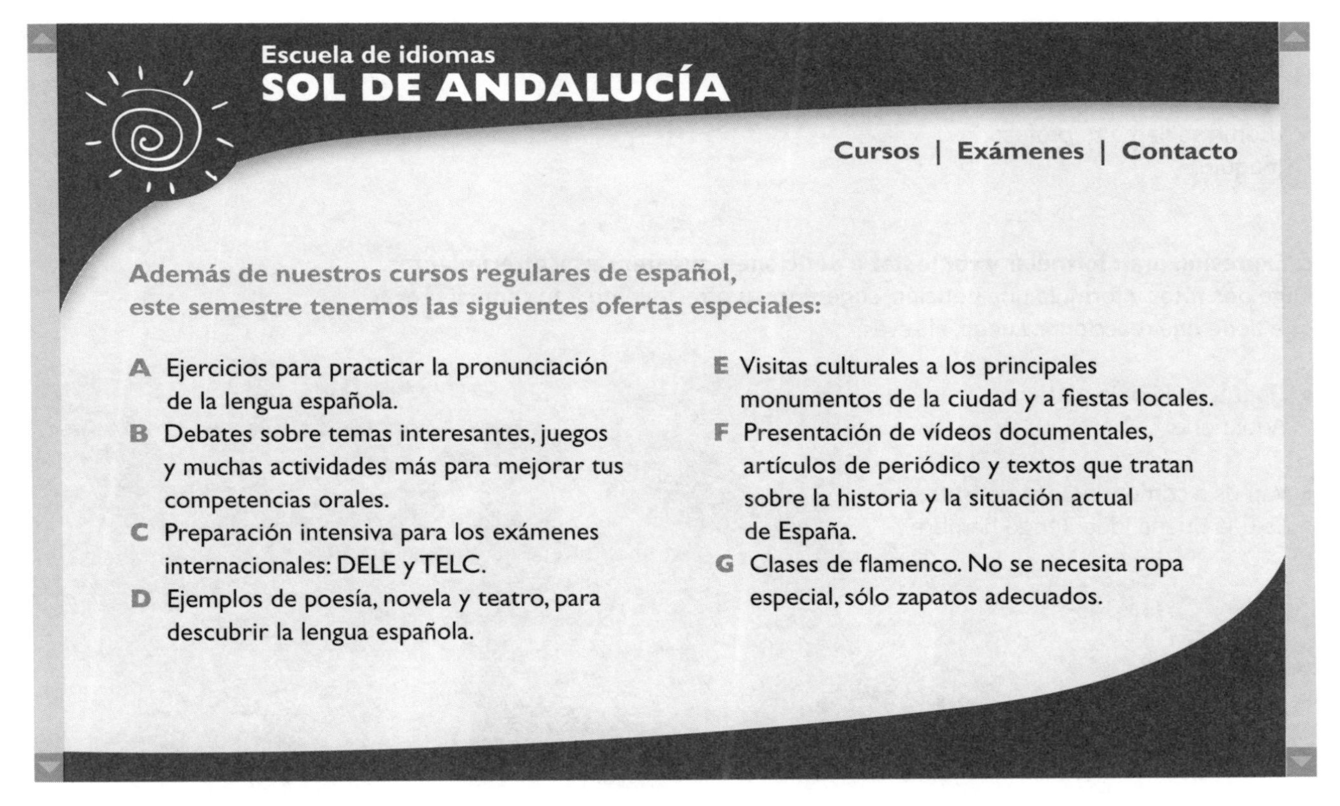
Escuela de idiomas
SOL DE ANDALUCÍA

Cursos | Exámenes | Contacto

Además de nuestros cursos regulares de español, este semestre tenemos las siguientes ofertas especiales:

A Ejercicios para practicar la pronunciación de la lengua española.
B Debates sobre temas interesantes, juegos y muchas actividades más para mejorar tus competencias orales.
C Preparación intensiva para los exámenes internacionales: DELE y TELC.
D Ejemplos de poesía, novela y teatro, para descubrir la lengua española.
E Visitas culturales a los principales monumentos de la ciudad y a fiestas locales.
F Presentación de vídeos documentales, artículos de periódico y textos que tratan sobre la historia y la situación actual de España.
G Clases de flamenco. No se necesita ropa especial, sólo zapatos adecuados.

1. Quieres aprender a hablar con más fluidez. ¿Qué curso te conviene?
   ☐ B ☐ E
2. Te encanta la literatura. ¿En qué curso puedes leer textos literarios en español?
   ☐ A ☐ D
3. Para tu trabajo necesita comprender la actualidad política y social del país. ¿Qué curso te conviene?
   ☐ C ☐ F

**5 Expresión escrita.**
Vas a hacer un curso de español en Málaga y quieres vivir con una familia. Escribe un correo (unas 40 palabras) a la Sra. Sánchez y hable de estos puntos. Empieza y termina la carta de la forma adecuada.

- Habla un poco de su curso.
- Pregunta algo sobre la casa de la Sra. Sánchez.
- Pregunta algo sobre Málaga.

*Estimada señora...*

**6 a. Expresión oral: presentarse.**
Cuenta algo sobre ti mismo. Di seis frases como mínimo.

¿Nombre? ¿Cómo se escribe? ¿Edad? ¿Familia? ¿Lugar de residencia? ¿Trabajo? ¿Idiomas? ¿Tiempo libre?

**b. Expresión oral: intercambiar informaciones.**
Formula dos preguntas refiriéndote a dos de estos temas y contesta a las preguntas de tu compañero.

profesor/a | libro | trabajo | coche | viaje | hotel | fin de semana | comida | vivienda | compañeros/-as | montaña | ordenador

- ¿Cómo se llama tu profesor?
- ○ Joaquín.

**c. Expresión oral: formular y contestar a peticiones, sugerencias y ofrecimientos.**
Elige dos fotos y formula una petición, sugerencia u ofrecimiento a tu compañero, que tiene que reaccionar. Luego, al revés.

- Quería un kilo de plátanos.
- ○ Aquí tiene.

- Vamos a comer un poco de fruta.
- ○ Es una buena idea. Tengo hambre.

# Libro del alumno

## 1 Viaje al español

**1 b.** ⏭ 1

Un viaje al mundo del español. Esta es la primera etapa de un viaje fascinante a un mundo de culturas antiguas y metrópolis dinámicas. Es un mundo lleno de monumentos fantásticos como las ruinas mayas de México, la catedral de Santiago de Compostela en España y las ruinas de Machu Picchu en Perú.
El mundo del español es también el aroma del café de Colombia o de Costa Rica, hmm, o del mate, del mango, de los tomates, del cacao...
Y, claro, es el sol de las playas del Caribe o del Mediterráneo, o los cactus, como en el jardín de cactus de Lanzarote.
Vamos a un mundo lleno de música: tango, flamenco, merengue, chachachá, salsa...
Es un mundo de gustos y sabores muy diferentes: desde la famosa paella o las tapas a los deliciosos tacos de México, y mucho más.

**2 b.** ⏭ 2–4

1.
- ● Buenos días.
- ○ Hola. Buenos días. Soy Antonio Martín Jiménez. Tengo una reserva.
- ● Sí, un momento. Antonio Martínez...
- ○ No, no. Es Martín. Antonio Martín Jiménez.
- ● Ah, Martín Jiménez. Sí, sí, aquí está. Habitación número tres. Su llave.
- ○ Gracias, hasta luego.

2.
- ● Hola. Buenas tardes.
- ○ Buenas tardes. Bienvenido al Congreso Internacional de Turismo. ¿Cómo se llama usted, por favor?
- ● Javier Gómez Moreno.
- ○ Gómez, Gómez... ¡Ah, sí! Gómez Moreno. De Cuba, ¿verdad?
- ● Sí, sí, de Santiago de Cuba.
- ○ Ah, Santiago de Cuba...

3.
- ● Buenos días. Bienvenidos a la clase de español. Me llamo María José López Gutiérrez, soy la profesora.
- ○ María José López ¿Gu...?
- ● Gutiérrez. Me llamo María José López Gutiérrez. Pero con María José basta.

**12** ⏭ 7

- ● Hola, buenas tardes. Bienvenidos al curso de español. Hoy hablamos de los motivos para estudiar español. Laura, ¿para qué estudias español?
- ○ Estudio español para viajar. Viajar a Latinoamérica, a Bolivia, Perú, Ecuador...
- ● ¡Qué interesante! Y tú, María, ¿para qué estudias español?
- ■ Para estudiar en España. En la Universidad de Madrid.
- ● ¿Y ustedes, señores Decker, también estudian español para viajar?
- □ Pues mi marido Walter y yo estudiamos español para comprar una finca en Mallorca. Una finca con olivos y con vistas al mar.
- ● ¡Qué bonito! Y usted, ¿para qué estudia español?
- ◆ Para trabajar en México. Trabajo en una empresa multinacional con una filial importante en México.
- ● Ajá. ¿Y tú, David, para qué estudias español?
- ◇ Mi pareja es colombiana. Y yo estudio español para hablar con la familia de mi pareja.
- ● Claro. Bueno, es muy interesante...

**13 c.** ⏭ 8–11

1.
- ● Hotel Internacional, buenas tardes.
- ○ Buenas tardes. Tengo una reserva.
- ● Un momento, señora. ¿Cómo se llama usted?
- ○ Gabriela García Romero.

2.
- ● ¿Y vosotras, para qué estudiáis inglés?
- ○ Yo, para trabajar en Londres. Y ella también para el trabajo. ¿Y tú?
- ● Pues yo estudio inglés para las vacaciones.

3.
- ● Señor Segoviano.
- ○ Sí...
- ■ Pase, pase, Sr. Segoviano. ¿Qué tal? ¿Otra vez por aquí?
- ○ Sí, doctora Martín. Es la gripe, otra vez.
- ■ Vamos a ver...

4.
- ● Hola, un café, por favor.
- ○ Claro. ... Aquí tienes.
- ● Gracias.
- ○ ¿Americano?
- ● No, soy inglés.
- ○ Ah, inglés. Pues hablas muy bien español.
- ● Es que trabajo aquí, en una empresa multinacional.

**Panamericana** ⏭ 12

La Panamericana es una ruta fascinante por el continente americano. De Norte a Sur, desde Alaska hasta Argentina, esta ruta pasa por 17 países, cuatro zonas climáticas y culturas muy diferentes con sus lenguas, sus músicas, su gastronomía y sus paisajes impresionantes.
Empezamos el viaje en México y admiramos lugares maravillosos como las ruinas mayas de Chichén Itzá o probamos famosos platos, como los tacos.
En América Central nos impresionan las ruinas mayas de Tikal en Guatemala o los magníficos volcanes en El Salvador, las selvas tropicales o playas maravillosas en Honduras. De Honduras pasamos a Nicaragua con su arquitectura colonial y seguimos a Costa Rica, famosa por sus parques naturales y su café, por supuesto. Después, llegamos a Panamá con su famoso Canal de Panamá, que une el Océano Atlántico y el Océano Pacífico.
La siguiente etapa es Colombia y su capital Bogotá. Pasamos por los Andes y la selva tropical que continúa en Ecuador. Ahí visitamos la capital, Quito, la "Florencia de América".
La Panamericana pasa después por Perú con el lago Titicaca y las ruinas incas de Machu Picchu y por Chile con el desierto de Atacama y su capital dinámica, Santiago de Chile.
La última etapa es Argentina con la inmensa pampa en el centro y los glaciares de la Patagonia en el sur.
Todo esto es América: un mosaico de culturas lleno de contrastes, colores y emociones.

## 2 Primeros contactos

**1 a.** ⏭ 13

Me llamo Alfredo García. Soy cubano pero vivo en Pamplona, en el norte de España. Gracias a la Obra Social de la Caixa tengo un trabajo. Soy operario y trabajo en una empresa de transportes en Pamplona.

**5 b.** ⏭ 18

X – S – Ñ – K – F – Y – H – Ll – P – U – Z

**7 a.** ⏭ 19

1.
- ● Sofía, ¿tienes correo electrónico?
- ○ Sí, sí. Mi dirección es fácil, Sofía (sin acento), guión, Romero, arroba, yahoo, punto, com.
- ● No tan rápido. Sofía, guión…
- ○ … guión, Romero, arroba, yahoo, punto, com.
- ● … yahoo, punto, com. Gracias. ¿Y cuál es tu número de teléfono?
- ○ Es 9419…
- ● Espera, espera: 941… Otra vez, por favor, y más lento, ¿eh?
- ○ 9419 7933.
- ● 933. Bien, muchas gracias. ¡Hasta pronto!
- ○ Sí, ¡hasta pronto!

**16** ⏭ 20

- ● Tecnochip Servicios Informáticos. ¿Dígame?
- ○ Buenas tardes. ¿Analía González, por favor?
- ● Lo siento, Analía González ya no trabaja aquí.
- ○ ¿Ya no trabaja en Tecnochip?
- ● En Tecnochip sí, pero en la central. Ahora es jefa de proyectos.
- ○ ¡Oh, qué chévere! ¿No tienes su teléfono o correo electrónico?
- ● Sí, sí, claro. A ver, un momento. Sí, aquí está. El teléfono es el 02 12 981 68 57.
- ○ … 68 57. Sí. ¿Tienes también su correo electrónico?
- ● Sí, es ana, g, m, arroba, tecno, punto, com.
- ○ Pues muchas gracias.

## 3 Mi gente

**1 a.** ⏭ 21

- ● ¡Qué fotos tan bonitas! ¿Y esta?
- ○ Esta foto... En esta foto estoy con mi marido, Sergio, y con mi hija, Martina.
- ● ¡Qué guapos los tres! ¿Y esta chica? Se parece a ti. ¿Es...?
- ○ Sí, ella es mi hermana. Se llama Sonia.
- ● Ah, ¿y estos también son hermanos tuyos?
- ○ No, no, estos son mis primos: mi prima Edurne y mi primo Fernando.
- ● Ah, qué bien.
- ○ Sí...
- ● Y Martina en esta foto, ¿qué está... con sus abuelos? ¿Qué son... los padres de Sergio?
- ○ No, son mi madre y mi padre.

**3 a.** ⏭ 22

- ● Valeriano, ¿qué significa el chocolate para ti?
- ○ El chocolate es todo, es familia, es trabajo. Somos una familia de chocolateros. Vivimos para el chocolate, con el chocolate, del chocolate.El chocolate para mí es la taza de chocolate que prepara mi abuela Rosa María todos los días, y es la pasión de mi abuelo Pedro.
- ● El famoso don Pedro López Mayor.
- ○ El famoso don Pedro. Está todos los días en la fábrica para controlar qué hacen sus hijos con SU chocolate.
- ● ¿Y los hijos trabajan todos en la empresa?
- ○ Bueno, casi todos: mi tío Pedro, el jefe de la empresa, mi madre Isabel y mi tía Ana y también mis tíos Vicente, Rafael y Francisco.
- ● ¿Y qué hace la nueva generación, los nietos de don Pedro?
- ○ También tenemos la pasión por el chocolate, claro. Mi hermana Vicenta y yo, por ejemplo, trabajamos en la empresa. Y el hijo de mi tío Rafael, mi primo Jaime, ya tiene un lugar reservado en la empresa. Tiene sólo 9 años pero ya le dice al abuelo: "Abuelo, abuelo, más chocolate."
- ● El próximo jefe de Valor.
- ○ Sí, seguro.

**8** ⏭ 23

- ● Chocolates Valor es una de las marcas de chocolate más famosas en España. Hoy estamos en la fábrica de Villajoyosa y hablamos con Pedro López. El señor López tiene 55 años y es el jefe de la empresa.
  Señor López, "Chocolates Valor" es una empresa familiar. ¿Cuántos miembros de su familia trabajan en la empresa?
- ○ A ver… mi padre, mis hermanas, mi sobrino… En total trabajan en la empresa 11 miembros de la familia y los empleados, claro. Además Valor tiene 27 chocolaterías en toda España.
- ● ¡27 chocolaterías!
- ○ Sí, sí, en todas las ciudades importantes. Y en ellas trabajan 62 empleados.
- ● Ajá. ¿Y dónde se venden sus productos?
- ○ Sobre todo en España, pero exportamos nuestros productos a 30 países.
- ● ¡Hmm! ¿Y qué países consumen más chocolate Valor?
- ○ Bueno, exportamos sobre todo a Estados Unidos. Un 60 % de la exportación va a los Estados Unidos y el resto a otros países como Ecuador, China o Japón.
- ● ¿Cuántos productos tiene Valor?
- ○ En total tenemos 44 productos diferentes, todos de la mejor calidad.
- ● Muchas gracias, señor López.

**12** ⏭ 24

1. Es fantástico y un cantante extraordinario, sin duda.
2. Es muy guapa y muy atractiva. Dicen que es un poco pesimista, pero es muy buena en su profesión, y eso es lo importante.
3. Sí, es muy buena, fantástica. Yo soy fan de sus películas.
4. Son simpáticos. Simpáticos, sí, y muy comunicativos, ¿no?
5. Su música no me gusta. La verdad es que no sé por qué es tan famoso. Y además es un poco feo, ¿no?
6. ¿El hermano de Cecilia? Sí, es alto y delgado. Y muy, muy guapo.

**16 b.** ⏭ 25

Cumpleaños feliz,
cumpleaños feliz.
Te deseamos todos
cumpleaños feliz.

## 4 Mirador

**1 b.** ⏭ 26

- ● Hola, hoy estamos todos aquí para hablar de un tema interesante: cómo son las relaciones personales en nuestros países. Ernesto, ¿cómo es en Argentina? ¿A quién hablas de tú?
- ○ Bueno, en principio, en Argentina se tutea mucho. Ahora, yo personalmente tuteo cuando me tutean. Espero y después reacciono, en Argentina.
- ● Hm. ¿Y en situaciones concretas como en un banco o en un restaurante?
- ○ No, en un banco no, y en un restaurante… depende, si el camarero es joven y me tutea, yo lo tuteo también.
- ● Hm. Y Miguel, ¿cómo es en España?
- ■ Hablamos de tú a la gente joven, y a la gente mayor la hablamos de usted.
- ● Ajá. ¿Y a un camarero en un restaurante?
- ■ Si es mayor, de usted, si es joven, de tú.
- ● ¿Y Pilar, cómo es en tu país?
- □ Nosotros decimos usted a las personas de más edad, eso sí. Y bueno, a los compañeros de trabajo, sí los tuteamos, entre amigas nos tuteamos y también por ejemplo en el club de deportes, con amigos, ahí sí. En la oficina a mi jefe no lo tuteo.
- ● ¿Y cómo saludamos en nuestros países?
- ○ Y en Argentina en una situación formal se da la mano y si no, se da un beso.
- ● ¿Y a un amigo?
- ○ Y a un amigo, hoy en día, se le da un beso.
- ● ¿Y Miguel, cómo es en España?
- ■ Normalmente doy la mano a otro hombre y a una chica le doy dos besos.
- ● ¿Cómo es, Pilar, en tu país?
- □ Bueno sí, entre amigas nos damos un beso. Y también como en España los hombres se dan la mano.
- ● ¿Y cómo es en Chile, Verónica?
- ◆ Bueno, en Chile en principio la gente se da la mano en situaciones formales. Tanto los hombres como las mujeres se besan, y los hombres se abrazan. Y solamente un beso, no dos.
- ● Ajá. Eso es diferente en todos nuestros países. Como ya estamos en este tema de relaciones personales, ¿qué es la familia para vosotros? ¿Cómo es en España?
- ■ En mi casa familia es prácticamente todo, son mis padres, mis hermanos, son mis tíos, son mis abuelos, mis primos, etc. etc. etc.
- ● ¿Cómo es en Argentina, Ernesto?
- ○ Para mí personalmente la familia son los padres, mi mujer, mis sobrinos… sí, toda esa gente.
- ● Y Verónica, ¿cómo es para ti, quién es tu familia?
- ◆ En mi caso personal mi familia es mi familia directa, padre, madre, abuelos, primos, etc.
- ● Hm. ¿Y en Bolivia?
- □ En Bolivia son todos los miembros de la familia, los padres, los tíos, los abuelos, los nietos, todos, absolutamente todos.
- ● Ajá.
- □ Y nos encontramos siempre cada dos fines de semana, se encuentra con toda la familia.
- ● Cada quince días. Ajá. Muy bien, pues, muchas gracias por hoy…
- ■ Nada, pues con mucho gusto.

**3 b.** ⏭ 27 – 28

1. ¿Cuántos años tienes?
2. Eres de Valencia, ¿verdad?
3. ¿Cómo te llamas?
4. ¿Qué hace usted?
5. ¿Cuántos hijos tiene usted?
6. ¿Para qué estudias español?
7. ¿Cuál es su teléfono?
8. ¿Cómo se escribe el apellido?

## 5 Es la hora de comer

**14 b.** ⏭ 32

- ● Hoy hablamos con Ricardo y su mujer Elvira, dueños del bar Jamón jamón en Madrid. Buenos días, Ricardo, ¿cómo está?
- ○ Buenos días. Muy bien, con mucho trabajo, claro. Pero es normal, es un bar.
- ● Ricardo, ¿cómo es un día en vuestro bar?
- ○ Pues a las seis y media de la mañana abro la puerta y lo preparo todo, los vasos, las tazas, la cafetera y los periódicos. Los primeros clientes llegan a las siete y toman un café rápido.
- ■ Entre las siete y las ocho tenemos mucho trabajo. Pero los clientes siempre piden lo mismo, café con leche y unas tostadas, un cortado o un café solo.
- ● ¿El bar está abierto todo el día? ¿Se almuerza y se cena también?
- ■ Sí, todo el día. Aquí se puede almorzar y cenar. Mucha gente que trabaja en el barrio come aquí al mediodía. Normalmente a las dos o a las dos y media. Tenemos un menú barato y es comida tradicional. Y se puede cenar ya a las ocho y media, pero también a las diez o más tarde. Se pueden tomar tapas, bocadillos o platos sencillos.
- ● ¿Los clientes son del barrio?
- ○ Sí, pero tenemos también muchos turistas extranjeros, estamos en el centro de Madrid. Son graciosos, a veces quieren sentarse en las mesas donde hay otros clientes y eso en España no es usual.

**15 b.** ⏭ 33 – 38

1.

Buenos días, queridos oyentes. Son las siete de la tarde, una hora menos en Canarias. Con ustedes, como todas las tardes, Beatriz Aragón, hoy con el director de cine mexicano Guillermo del Toro…

2.

- ● ¡Ayayayayay! ¡Qué horror! ¡Las nueve! ¡Pepe, arriba que son las nueve ya y no llegamos al aeropuerto!
- ○ ¡Ay, Dios mío, ya las nueve! ¡Que no llegamos!

3.

- ● Perdone, ¿tiene hora?
- ○ Sí, claro. Son las doce y cinco.
- ● Muchas gracias.
- ○ De nada.

4.

¡Niños y niñas, presentamos el Circo Hermanos Baldini, esta tarde, a las seis y media! ¡Os esperamos a todos a las seis y media en el estadio de fútbol para ver a la familia de elefantes, los tigres de Siberia y los pingüinos danzantes!

5.

- ● Su pasaporte, por favor.
- ○ Aquí tiene.
- ● Vuelo Palma de Mallorca – Berlín… La hora de embarque es a las 10.25 en la puerta 54A.
- ○ A las 10 y 25. Muchas gracias.

6.

- ● ¿Son las cuatro menos cuarto ya?
- ○ Voy a ver. Sí, las cuatro menos cuarto.

## 6 Por la ciudad

**4 a.** ⏭ 39-44

- Hola, buenos días. ¿Me puede recomendar un restaurante típico?
- Hola, perdone. ¿Tiene un plano de la ciudad?
- Perdone, ¿sabe cuánto cuesta una entrada para el concierto de flamenco? Y también queremos visitar la catedral. ¿Hay visitas guiadas en la catedral?
- Perdone señor, ¿de dónde sale el autobús para Triana?
- Una pregunta: ¿Dónde se pueden comprar sellos?
- Tengo un par de preguntas. ¿Sabe si el Museo de Bellas Artes abre los lunes? ¿Y a qué hora abren las tiendas por la tarde?

**5 b.** ⏭ 45-49

1.
● Perdón, ¿hay una farmacia en el centro comercial?
○ Sí, al final a la izquierda, al lado de Correos.
● Muchas gracias.

2.
● Perdone, señora, ¿sabe si hay una cabina de teléfonos por aquí?
○ Mire, aquí hay una, justo enfrente.

3.
● ¿Diga?
○ Hola, Pilar, ¿dónde estás?
● Pues aquí, delante del cine. ¿Y tú?
○ Estoy todavía en el supermercado. ¿Y las entradas?
● Las entradas, sí las tengo...

4.
● ¡Papa, pis! Papa, pis, pissss.
○ Sí, ya va, vamos a preguntar. Perdón, ¿dónde están los servicios?
■ Los servicios... sí, allí, entre el cine y la farmacia.

5.
● Oye, ¿sabes si hay una panadería por aquí?
○ ¿Una panadería? Ahí, a la derecha, detrás de la tienda de modas.
● Ah, sí, muchas gracias.
○ De nada.

**7 a.** ⏭ 50

● Hola Marisa, ¿qué tal? Soy Alberto. ... Bien, bien, gracias. Todos bien. ... Pues te llamo precisamente por eso. Es que vamos a Bogotá la semana próxima. ... No, no, no es necesario, gracias. Vamos a un hotel. Es un regalo para Cristina. Por su cumpleaños. ... No, Cristina no sabe nada, pero seguro que le gusta mucho. ... Sí, el avión llega el viernes a las dos. ... Sí, sí, ya tengo algunos planes. El viernes por la noche vamos al Teatro Colón, a un concierto de la orquesta sinfónica. ... Sí, ¿verdad? Y luego vamos al restaurante "Casa Vieja". ... ¿Al museo Botero? Claro. Pero mejor el sábado, para tener más tiempo. ... No, el domingo no sé qué hacer. ¿Tú qué me recomiendas? ... ¿El tesoro de Bogotá? ... No, ¿qué es? ... ¿Una sorpresa? ¿Un tesoro? ¡Bárbaro! Esto le gusta a Cristina, seguro.

**8 a.** ⏭ 51

● Helma, tú trabajas en un lugar muy especial. ¿Cómo vas al trabajo?
○ Mira, te lo explico: primero voy en bicicleta hasta la parada Portal del Sur del transmilenio. El transmilenio es un autobús muy similar al metro. Entonces, tomo la línea G en dirección a Ricaurte, son... doce paradas. Bajo en Ricaurte y allí cambio a la línea F. Bajo en Avenida Jiménez, son dos paradas. Trabajo en el barrio La Candelaria. Puedo tomar otra línea hasta mi trabajo, pero me gusta caminar, así que voy a pie unos cinco minutos.

**9 a.** ⏭ 52

Primero usted toma la primera calle a la derecha y después sigue todo recto hasta el semáforo. Allí gira a la izquierda. Es la calle 11. Sigue todo recto hasta la plaza. Usted tiene que cruzar la plaza. Allí, enfrente de la plaza está el edificio. ¿Qué es?

## 7 El placer de viajar

**3 a.** ⏭ 53

● Buenos días, ¿tienen habitaciones libres?
○ ¿Doble o individual?
● Individual, para cuatro noches.
○ A ver... Sí, tenemos una en la segunda planta.
● Perfecto. ¿Da a la calle? ¿Es ruidosa?
○ No, es muy tranquila. Todas nuestras habitaciones son exteriores, pero muy tranquilas.
● ¿Tranquilas? Muy bien. ¿Cuánto cuesta?
○ 95 euros la noche.
● ¿El precio es con desayuno incluido?
○ Sí, es desayuno continental.
● Muy bien. ¿Tienen aire acondicionado?
○ Por supuesto. ¿Puede completar este formulario?
● Sí, claro... Aquí tiene.
○ Muy bien. Habitación 45. Aquí tiene la llave.
● Muchas gracias.

**4 a.** ⏭ 54

● Hola. Buenos días. ¿En qué puedo ayudarle?
○ Mire, mis hermanos y yo queremos hacer un regalo a mis padres y hemos pensado en un viaje a Mallorca.
● ¡Qué buena idea! ¿Tienen sus padres alguna preferencia especial?
○ Pues sí, muchas.
● A ver. ¿Qué les gusta más, el mar o la montaña?
○ Pues eso es un poco difícil. A mi padre le gusta la montaña, pero a mi madre le encanta la playa.
● Entonces les puede interesar Sóller, una pequeña ciudad preciosa en la Tramontana. Así están en la montaña, que le gusta a su padre, y también cerca del mar, que le gusta a su madre. Puerto Sóller está a 10 minutos.
○ ¿Es un lugar tranquilo? Es que a los dos les molesta mucho el ruido.
● Sí, sí. Muy tranquilo.
○ ¿Qué actividades se pueden hacer?
● Muchas. Se puede hacer deporte, por ejemplo.
○ Para mi padre, genial. Él es muy deportista.
● ¿Le gusta el senderismo?
○ Sí, le gusta mucho.
● ¿Y a su madre? ¿Qué le interesa?

- ○ A ella no le gusta mucho hacer deporte. Pero la naturaleza sí le interesa.
- ● Pues mire. En Sóller hay un jardín botánico magnífico.
- ○ Perfecto.
- ● Muy bien. ¿Y el hotel? ¿Qué tipo de hotel prefieren?
- ○ Les interesa un hotel un poco exclusivo.
- ● Perfecto. Creo que tengo un par de hoteles interesantes para ellos…

**12** **a.** ⏭ 56

- ● Grizel, ¿dónde has pasado las vacaciones de este verano?
- ○ En Yucatán, en el sur de México. Para una mexicana del norte como yo, es un viaje casi obligatorio y muy lindo.
- ● ¿Y cómo has viajado?
- ○ Primero en avión hasta Mérida, la capital de Yucatán, y ahí en autobús. Los autobuses son muy buenos.
- ● ¿Has dormido en hoteles?
- ○ Sí, en hoteles pequeños. Y una vez en casa de amigos. Es que en Mérida tengo amigos.
- ● ¿Qué has visitado?
- ○ Naturalmente los lugares más importantes de los mayas, como Chichén Itzá. ¡Impresionante! Y al final he pasado unos días en Cancún. La playa es una maravilla, ¡y qué mar! También la comida típica es muy, muy rica.
- ● Entonces te ha gustado el viaje.
- ○ Sí, muy lindo, ¡realmente padrísimo!

## 8 Mirador

**1** **b.** ⏭ 61

- ● Bueno, aquí estamos otra vez y hoy hablamos de otro tema también interesante, como es bares, tapas y horarios. ¿Qué es un bar para vosotros, Miguel?
- ○ Normalmente es un sitio donde te encuentras con amigos. Puedes tomar sólo un café si quieres o una cerveza, también puedes comer.
- ● Hmm. ¿Y en Bolivia?
- ■ Es algo parecido, bueno, nos encontramos con amigas después del trabajo o también con compañeros del club de deporte y también para tomar copas o para comer algo. El viernes hay una costumbre en Bolivia, es el viernes del soltero…
- ● Ajá. ¿Y eso?
- ■ … todos los hombres pueden ir solos a un bar sin la esposa.
- ● ¿Y en Chile, Verónica, cómo es… cómo es en Chile?
- □ Bueno, es el lugar donde realmente te encuentras con los amigos y puedes beber algo y también comer cualquier cosa.
- ● Hmm. ¿Y en Argentina, Ernesto?
- ◆ Es básicamente el lugar para encontrarse con amigos y también, pues, tomar algo…
- ● ¿Y cuándo vas tú a un bar?
- ○ En España se va mucho, por la mañana, al mediodía y después de trabajar para tomar una cervecita y una tapa antes de ir a cenar.
- ● Hmm. ¿Y cómo es en otros países, existen estos bares de tapas?
- ■ No, en Bolivia no.
- ● Y en Argentina, Ernesto, ¿existen las tapas?
- ◆ No, no existen, no.
- ● Pero existen los bares, y si vas con amigos a un bar, entonces, ¿cómo pagáis?
- ■ En Bolivia normalmente paga una persona.
- ● ¿En España es parecido, Miguel?
- ○ Bastante parecido, sí.
- ● ¿A qué hora se cena en vuestros países normalmente? Miguel, ¿en España?
- ○ En España normalmente a partir de las nueve y media, diez de la noche, incluso más tarde.
- ■ En Bolivia la gente viene del trabajo tarde también, entre las seis y las siete, y entonces cenamos a las ocho, ocho y media, normalmente a las ocho.
- ◆ En Argentina se cena muy tarde también, diez de la noche, diez y media tal vez.
- ● ¿Y cómo es en Chile?
- □ En Chile entre las ocho y las nueve y media de la noche.
- ● Bueno, y estáis ahora en un bar y no hay una mesa libre, ¿vais a la mesa de otra persona?
- ■ No, en Bolivia no se hace.
- ○ En España tampoco, no lo hacemos nunca.
- ◆ En Argentina tampoco.
- □ En Chile de ninguna forma.
- ● Bueno, muy bien, muchas gracias por hoy. Adiós.

**3** **b.** ⏭ 62 – 63

1. La habitación, ¿da a la calle?
2. ¿Me puede recomendar un hotel barato?
3. ¿Dónde se pueden comprar billetes de metro?
4. ¿A qué hora cierra el Museo de Bellas Artes?
5. ¿Hay visitas guiadas en la catedral?
6. ¿Está libre el apartamento en julio?
7. ¿Dónde tengo que bajar para el Museo Picasso?
8. ¿Cuánto cuesta una entrada para el concierto de Shakira?

## 9 Caminando

**2** **a.** ⏭ 64

- ● Caminos del mundo. Un programa para viajeros. Hoy vamos a conocer un camino con historia, el Camino de Santiago. Con nosotros en el estudio un gran experto del Camino de Santiago, Suso Figueroa, que ha escrito una guía para peregrinos. Buenos días, Suso.
- ○ Buenos días.
- ● En pocas palabras, ¿qué es el Camino de Santiago?
- ○ El Camino de Santiago es una ruta de peregrinación que se conoce desde el siglo IX. Tiene como destino la tumba del Apóstol Santiago en la ciudad de Santiago de Compostela.
- ● Y es actualmente una ruta muy popular. ¿Por qué la gente hace el Camino?
- ○ Los motivos son muy variados. Se puede decir que los motivos turísticos son tan importantes como los motivos religiosos.
- ● Hay varios caminos, ¿verdad?
- ○ Hmm.
- ● ¿Cuál es la ruta más famosa?
- ○ La ruta más famosa es el Camino Francés, que entra en España por Roncesvalles en los Pirineos, pero también existe el Camino del Norte, que es más largo que el Camino Francés.
- ● ¿Y cuál es el mejor momento para recorrer el Camino?
- ○ La mejor época es la primavera, mayo o junio, cuando empieza el buen tiempo y no hay demasiada gente en los albergues. Septiembre es también un buen mes, pero puede llover.
- ● Los albergues de peregrinos, ¿qué son exactamente?
- ○ Son alojamientos sencillos destinados a los viajeros del Camino, sobre todo los que van a pie. Los albergues son más baratos que los hoteles, pero tienen menos comodidades.
- ● En tu libro cuentas muchas experiencias…

**6** **a.** ⏭ 65

- ● Bueno, ya tengo todo sobre la cama. ¿Tienes tú la lista?
- ○ Sí, a ver. Pantalones, dos.

- ● Aquí, dos pantalones, uno negro y otro azul.
- ○ Bien. Camisetas, cuatro.
- ● Camisetas sí, tengo estas tres.
- ○ Sí, pero necesitas una más.
- ● ¿De verdad? Pues tengo que comprar una más.
- ○ Sí. Seguimos. Anorak.
- ● Tengo este. ¿Qué te parece? ¿Quizás un poco corto?
- ○ Con ese no duras ni un día en el Camino. Ese no es para caminar. ¿No tienes otro?
- ● No. Vaya por Dios, otra cosa que tengo que comprar.
- ○ Sí, pero un anorak es imprescindible. A ver, ¿llevas un jersey?
- ● Sí, este blanco, es muy bueno.
- ○ Vale. ¿Zapatos?
- ● Tengo estos para caminar, estos para salir y estas sandalias.
- ○ Son muchos, lleva las sandalias y esos zapatos para caminar, que son más prácticos que los otros. Sigo: gafas de sol, sombrero, un poco de comida, aspirina...
- ● Sí, sí, sí, aquí está todo.
- ○ Bueno, pues ya está. Hacemos la mochila. ¿Dónde está?
- ● Ah no, la mochila no la tengo todavía.
- ○ ¿Qué? Pues vamos a comprar la mochila, la camiseta y el anorak.

**12** **b.** ⏭ 66

- ● ¿Dígame?
- ○ ¿Eres tú, Roberto?
- ● ¡Hola papá! ¿Qué tal?
- ○ Bien, bien. Estoy en el cine, esperando a tu madre. No te oigo. ¿Dónde estás?
- ● Papá, estoy en Perú, ¿no te acuerdas? Estoy haciendo el Camino Inca. ¡Ahora mismo estoy en el Inti Punku viendo tooodo el Machu Picchu! ¡Esto es fenomenal!
- ○ ¿El Guachu Puchi? ¿Eso qué es?
- ● El Machu Picchu, papá, te envío una foto y así lo ves. Un beso, adiós, adiós.
- ○ Adiós y no hagas tonterías, ¿eh?

## 10 Tengo planes

**3** **a.** ⏭ 68

2.

- ● Manuel, ¿vienes conmigo al cine?
- ○ ¿Qué película quieres ver?
- ● En el cine Verdi hay una película japonesa que parece muy interesante.
- ○ ¿Japonesa? Yo no sé japonés.
- ● Es con subtítulos en español.
- ○ Ya lo sé. Es que no me apetece mucho ver una película japonesa. ¿Por qué no vamos al restaurante Siete Puertas a comer un buen arroz con pescado?
- ● Es que sólo piensas en comer.
- ○ Si quieres, llegamos a un compromiso y vamos a comer sushi.
- ● No, no. Vamos al restaurante Siete Puertas.
- ○ ¿A qué hora?
- ● ¿Qué tal a las nueve?
- ○ Perfecto, a las nueve delante del Siete Puertas... y claro que invito yo.

**9** **a.** ⏭ 69

- ● ¿Qué van a tomar?
- ○ La verdad es que no tengo mucha hambre. Para mí, de primero ensalada mixta y de segundo la merluza a la plancha.
- ● ¿Y usted, caballero?
- ■ Pues yo sí tengo hambre. De primero arroz a la cubana y de segundo... yo tomo el pollo asado con verdura.
- ● Arroz a la cubana y pollo con verdura. Y para beber, ¿qué les traigo?
- ■ Pues... para beber un vino tinto de la casa. Medio litro es suficiente, ¿te parece, Fernanda?
- ○ Sí, y también una botella grande de agua, es que tengo mucha sed.
- ● Vino tinto y agua. ¿Van a tomar postre?
- ■ Yo sí. ¿De postre qué hay?
- ● Tenemos melón, naranja, crema catalana...
- ■ Hm, ¿la crema catalana la hacen ustedes?
- ● Sí, sí, es casera. Está muy buena, es nuestra especialidad.
- ■ Pues para mí, crema catalana.
- ○ Yo todavía no sé si voy a tomar postre.
- ● Ningún problema. Le pregunto más tarde.
- ○ ¿Me trae otro vaso para el agua, por favor?
- ● Sí, claro. Ahora mismo.

## 11 Mi nueva casa

**2** **b.** ⏭ 70

- ● Mira Juan, tengo una lista de las cosas que me voy a llevar.
- ○ Ah, vale, ¿y qué te llevas? Ya no recuerdo cuáles son tus cosas y cuáles las mías.
- ● De la cocina me llevo el microondas, es que es un regalo de mis padres, y claro...
- ○ Por supuesto, no te preocupes. El microondas, ¿y qué más?
- ● Y... también la nevera. Bueno, de la terraza me llevo la mesa y las cuatro sillas.
- ○ Pero si la mesa es de mi madre.
- ● ¿De tu madre? No, Juan, de tu madre es la mesa del salón, pero no la de la terraza.
- ○ ¡Ah! Es verdad.
- ● Del salón me llevo sólo la tele. Vas a tener que comprarte una nueva, lo siento.
- ○ Pues sí... Me estoy quedando sin muebles... Continúa, Inés.
- ● Sí, y del baño me llevo el espejo, ya sabes, es un recuerdo de México y me encanta. Y creo que eso es todo.
- ○ ¿Seguro?
- ● Pues...
- ○ Mira, sabe que estoy hablando de él. Misifús, ¿no te llevas a Misifús?
- ● ¡Ah! Pueeees, ¿no lo quieres tú? Es un gato muy tranquilo, está todo el día durmiendo y...
- ○ No, no, guapa. Misifús es tu gato y se va contigo.
- ● Claro, claro. Ven aquí, Misifús, vamos a la cocina a comer algo.

**5** **a.** ⏭ 71

- ● ¡Hola Marta! Pasa, pasa. Oye, ¡qué zapatos más elegantes!
- ○ ¿Te parece? Pues son viejos, la verdad.
- ● Me encantan. Ven que te muestro la casa. Esta es la cocina.
- ○ ¡Qué grande que es!
- ● Sí, pero tiene poca luz.
- ○ ¿Poca luz? ¿Te parece? Mujer, ¡qué mesa más original!
- ● ¿Te gusta? Es del rastro a muy buen precio. Este es el baño, que es bastante pequeño.
- ○ ¡Huy! ¡Qué práctico! Tiene la ducha separada de la bañera. ¡Qué buena idea!
- ● Sí, no está mal. Esta es la habitación de Marisa, está como siempre desordenada...
- ○ ¿Desordenada? Me parece muy ordenada. ¡Y cuánta luz tiene!

- ● Sí, los dormitorios tienen mucha luz, pero ya has visto la cocina, la poca luz que tiene… Este es nuestro dormitorio, bastante pequeño por cierto.
- ○ ¡Oh! ¡Qué buen gusto!
- ● Es la idea de una revista. Y por último, el salón.
- ○ ¡Qué salón más grande tienes!
- ● ¿Tú crees? No tiene tantos metros cuadrados.
- ○ Y tiene mucha luz.
- ● Sí, las ventanas son bastante grandes. Ahora vamos al jardín. ¿O prefieres tomar algo aquí en el salón?
- ○ No, no. Vamos al jardín, claro. Mujer, ¡felicidades! ¡Qué casa más bonita tienes! Pero oye, seguro que es muy cara, ¿verdad?
- ● Bueno… un poco.

## 12 Mirador

**1 b.** ⏭ 72

- ● Hola otra vez a todos. Estamos aquí con algunos hispanohablantes y vamos a hablar de un tema como las invitaciones y los restaurantes. ¿Cómo es en nuestros países? ¿O dónde nos encontramos con nuestros amigos? ¿Cómo es en Bolivia, Pilar?
- ○ Bueno, en Bolivia los fines de semana nos encontramos un club, y en los días de semana vamos a un restaurante.
- ● ¿Y cómo es en España, Miguel?
- ■ Con los amigos nos encontramos normalmente en los bares o en una cafetería, pero nunca en casa.
- □ Y en Argentina es más o menos lo mismo, nos encontramos generalmente en un bar o en un restaurante.
- ◆ En Chile la gente se encuentra en las casas todavía.
- ● Ajá, y cuando invitas a tu casa, ¿a quién invitas?
- ◆ A la familia directa y generalmente son los domingos a almorzar.
- ● Hm. Y tú Miguel, si invitas a alguien a casa, ¿a quién invitas?
- ■ Sólo a muy buenos amigos.
- ● ¿Y en Bolivia?
- ○ También.
- ● ¿Y en Argentina, Ernesto? ¿Invitas a todo el mundo?
- □ No, no, solamente a amigos íntimos o así.
- ● Y… si… preparáis algo en casa, si invitáis a amigos o a colegas, ¿cuándo dais la invitación?
- ○ Muchas veces espontáneamente.
- ● Ajá. ¿Y en Chile?
- ◆ En Chile también se decide de forma espontánea y puedes decir en el momento bueno, "vamos" y vas.
- ● Ya. ¿Y en España, Miguel?
- ■ Lo mismo, o de forma espontánea o un par de días antes.
- ● Y… cuando tenéis invitados en casa, ¿qué hacéis, preparáis algo…?
- □ En Argentina se hace una comida especial.
- ○ En Bolivia también, un plato especial, puede ser también un plato típico boliviano.
- ● ¿Y en España, Miguel?
- ■ No necesariamente, se puede poner un poco de jamón, queso, vino…
- ● Y ahora estamos en la otra situación: os han invitado. ¿Llegáis en punto a la hora que os han dicho?
- ■ En España o se llega puntual o un poquito más tarde.
- ○ En Bolivia normalmente una hora más tarde.
- □ En Argentina se llega tarde. Se puede llegar media hora o una hora más tarde.
- ● Y estáis en un restaurante y no tenéis mucha hambre, ¿qué hacéis, qué pedís?
- ■ En España normalmente pides sólo un plato, un segundo plato.
- ● Y tú, si no tienes hambre en un restaurante en Chile, Verónica, ¿qué pides?
- ◆ Puedes pedir una porción más pequeña, pero no una ensalada.
- ● ¿Y qué es el café para vosotros?
- ■ El café o lo tomas por la mañana de desayuno o lo tomas después de comer, es la sobremesa.
- ● ¿Cómo es en Argentina, Ernesto?
- □ Y es un pretexto para la charla.
- ● ¿Y en Chile, Verónica?
- ◆ En Chile no se toma café en la mañana… no al desayuno. Al desayuno se toma té generalmente.
- ● ¿Y cómo es en Bolivia?
- ○ En Bolivia se toma café después de la comida. Y en las mañanas se toma té y a las tres de la tarde también.
- ● Muchas gracias por estar aquí y por haber venido, ha sido interesante, muy interesante hablar sobre las costumbres en nuestros países, muchas gracias.

**3 a.** ⏭ 73

- ● ¿Dígame?
- ○ Hola, Pedro. Soy Silvia.
- ● Hola, Silvia, ¿cómo estás?
- ○ Bien, bien. Te llamo para ver si vienes conmigo al Rex. Es la semana del cine latinoamericano.
- ● ¿Cuándo, hoy por la noche?
- ○ Sí, a las diez ponen *Lluvia*, que me interesa.
- ● Ah, sí, leí algo sobre esa película. ¿Es chilena?
- ○ No, argentina. Y dicen que es muy buena.
- ● Vale, vamos juntos a verla. ¿Quedamos a las nueve en el bar de siempre?
- ○ Claro, buena idea. Así podemos picar algo antes…

**3 b.** ⏭ 74–75

1. ¿Qué postres tienen?
2. ¿Qué tal la merluza?
3. ¿Cuándo volviste de tu viaje?
4. ¿Has visto mis llaves? No las encuentro.
5. ¿Conoces un buen restaurante francés?
6. ¿Eres vegetariana?
7. ¿Y qué tiempo hace allí?
8. ¿Qué me recomiendas para la excursión?

# Cuaderno de ejercicios

## 1 Viaje al español

**1 a.** ⏭ 1

Y ahora los resultados de los partidos de hoy:
Argentina uno, Brasil tres. Ecuador dos, Perú cero. Bolivia dos, México dos. Uruguay tres, Colombia cuatro. Y por último Chile uno, Venezuela cero.

**1 b.** ⏭ 2

Con estos resultados, la clasificación de los equipos es la siguiente: Colombia encabeza la lista con diez puntos. Sigue Brasil con nueve puntos. México y Argentina, ocho puntos. Uruguay, seis puntos. Ecuador y Bolivia, cinco puntos. Chile, cuatro puntos. Perú y Venezuela, dos puntos.

**3** ⏭ 3

1.
- ● Buenos días. ¿Cómo se llama usted?
- ○ Soy Santiago Márquez, ¿y usted?
- ● Carmen Luna Jiménez.

2.
- ● Hola, ¿cómo te llamas?
- ○ Marta, ¿y tú?
- ● Yo soy Ricardo.

**6 a.** ⏭ 5

- ● Hola, buenas tardes. Vamos a ver los grupos. ¿Celia Pérez Ramos?
- ○ Sí, soy yo.
- ● Grupo uno.
- ○ Vale.
- ● A ver. ¿Pilar González?
- ■ ¿Pilar González Ortega?
- ● Sí, sí.
- ■ Soy yo.
- ● También grupo uno. ¿Lucía?
- □ ¿Lucía Quesada Ramírez?
- ● No, Lucía... Gil Sánchez...
- ◆ Sí, soy yo. ¿Grupo uno también?
- ● Sí. Y tú, la otra Lucía, Lucía Quesada Ramírez, en el grupo dos.
- □ Vale.
- ● También en el grupo dos, Gabriel Castillo Sierra.
- ◇ Sí, vale.
- ● Y en el grupo tres, Luis Rodríguez Cercas, ...
- ◘ Sí.
- ● ... Carlos Jiménez Torres y Juan García Zapatero.
- ✦ Vale.
- ◈ ¿Y yo?
- ● ¿Cómo te llamas?
- ◈ Ana Martínez Marcos...
- ● Ana Martínez... Grupo dos también.

**6 b.** ⏭ 6

**C**armen, **C**arlos, **C**astillo, **Qu**esada;
**C**ecilia, **C**elia, **Z**apatero, **C**ercas;
**G**ustavo, **G**abriel, **G**arcía, **G**onzález;
**J**osé, **J**iménez, **J**uan, **G**il.

**14 c.** ⏭ 8

español, hotel, viajar, inglés, universidad, ciudad;
palabra, apellido, playa, problema, trabajan, hola, chocolate, vacaciones;
México, número, música, gramática.

## 2 Primeros contactos

**5** ⏭ 10

- ● ¿Cómo se llama el médico?
- ○ José Abarizqueta Castellón.
- ● José Ab... ¿Cómo?
- ○ Abarizqueta Castellón. Mejor te lo deletreo. Se escribe...
- ● Sí. Dime.
- ○ A – B – A – R – I – Z – Q – U – E – T – A. Abarizqueta Castellón.
- ● Ajá.

**6 a.** ⏭ 11

1. Arancha, ¿cómo se escribe tu nombre?
2. ¿Internet se escribe con mayúscula o con minúscula?
3. Oye, Raúl se escribe con acento, ¿verdad?
4. La profesora se llama Leticia, ¿verdad?
5. Viviana, ¿tu nombre se escribe con be?
6. El apellido Müller, ¿cómo se escribe?

**9 b.** ⏭ 13

busco, intercambias, reserva, viajamos, compráis, organizan;
aprendo, vendes, aprende, aprendemos, vendéis, venden;
escribo, vives, escribe, escribimos, vivís, viven.

**13** ⏭ 14

1.
- ● ¿Eres arquitecto, verdad?
- ○ No, soy economista.

2.
- ● ¿Mario es médico?
- ○ No, no es médico, es enfermero.

3.
- ● ¿Vosotras estudiáis español?
- ○ No, no estudiamos español. Somos españolas y estudiamos inglés.

4.
- ● ¡Tengo una reclamación! ¿Usted es la jefa?
- ○ No, no trabajo aquí.

**14** ⏭ 15

- ● Tú eres Juan Carlos Gómez García, ¿verdad?
- ○ No, me llamo Juan Manuel, no Juan Carlos.
- ● Ay, perdón. Juan Manuel Gómez García. Ahora lo corrijo... Bien. Tengo aquí tus datos... Eres de Santiago... Santiago de Chile, ¿no?
- ○ No. De Santiago de Chile no, soy de Santiago de Cuba.
- ● Ay, y el número de móvil... 620 711 833, ¿verdad?
- ○ No, no es 620, es 610. 610 711 833.
- ● Uh, ay ay ay, una pequeña confusión, ji, ji.
- ● Y tu correo electrónico es Juan.Manuel@terra.com, ¿correcto?
- ○ Sí, pero con guión. Todo con minúsculas: juan-manuel@terra.com.
- ● Ah, gracias. Ya lo tengo... Vienes por el curso de francés, ¿no?

- ○ ¿Francés? No, estudio inglés. No sé una palabra de francés.
- ● Aah, bueno… Ah bueno, ya lo tenemos todo… Ay, es que no sé qué me pasa hoy…

## 3 Mi gente

**7** ⏭ 17

1, 22, 15, 29, 98, 73, 81, 45, 34, 47, 70, 94, 7, 59, 62, 3, 10

**11** ⏭ 18

- ● ¡Cuánta gente hay en la fiesta! Oye, ¿quién es esa chica?
- ○ ¿La rubia, alta y delgada?
- ● Sí.
- ○ Es Dolores, mi nueva compañera de trabajo.
- ● ¿Y los otros? ¿Son también compañeros de la oficina?
- ○ Bueno, no todos. El moreno, alto y delgado que está con Dolores es Miguel, su marido. Pero él no trabaja en la empresa. La rubia bajita y un poco gordita es Victoria, la secretaria del jefe. Es muy simpática.
- ● ¿Y qué tal el jefe?
- ○ Pues es bastante simpático. Mira, precisamente está ahí. ¿Ves ese señor alto y rubio con corbata? Pues ese es mi jefe, Fernando.
- ● ¿Y la chica que está con él no es tu hermana, María?
- ○ Sí, María. Y el chico es Arturo, mi hermano.
- ● ¿Ese chico alto y rubio es tu hermano?
- ○ Pues sí, ¿por qué lo dices?
- ● Es que sois muy diferentes.

## 4 Mirador

**2** ⏭ 20 - 23

1.
- ○ ¿Cuántas personas trabajan en esta oficina?
- ● Somos 15 con el jefe.

2.
- ○ ¿Cómo se escribe el apellido?
- ● X - I - M - E con acento - N - E - Z.

3.
- ○ ¿Cuántos empleados tiene la empresa?
- ● 11. Es una empresa muy pequeña.

4.
- ○ ¿Tienes correo electrónico?
- ● Sí, es R - U - I - Z@web.com.

**3** ⏭ 24

1. ¿Cuándo es tu cumpleaños?
2. ¿Dónde trabaja Juan Pablo?
3. ¿Tenéis hijos?

## 5 Es la hora de comer

**8** ⏭ 26

Esta es una lista de nuestros vinos más exclusivos.
Dominio de Pingus de 2000, sólo en nuestra tienda, 970 €.
Pingus de 2003, un vino fantástico, 590 €.
¿Quiere probar La Ermita de 2002? La mejor cosecha, a 393 € la botella.
O el Tinto Pesquera Millenium de 1996, un tinto muy exclusivo, 240 €.
Si prefiere el Vega Sicilia, Reserva Especial de 1999, está en oferta, a 184 €.
O un vino excelente, el Artadi Grandes Añadas de 2001, su precio es de 132 €.
Finalmente, el estupendo Finca Garbet de 2001, hoy a sólo 115 €.

**11** ⏭ 27

1.
- ● ¿Las prefieres verdes o negras?
- ○ Verdes, verdes, por favor. Es que las negras no me gustan.

2.
- ● ¿La toma usted caliente o fría?
- ○ Fría está bien, gracias.

3.
- ● ¿De qué lo quieres, de jamón o de queso?
- ○ De jamón serrano, por favor.

4.
- ● ¿Los prefiere con salsa de tomate o con carne?
- ○ Mmm. Con salsa de tomate. Y un poco de queso parmesano, por favor.

**15** ⏭ 28

1.
- ● ¿Ya son las nueve?
- ○ Sí, y ya entra el pianista. ¡Mira!
- ● ¡Qué bien!

2.
- ● ¿Qué hora es, Mario?
- ○ Las cuatro y media.
- ● ¡Huy, tengo clase de español! ¡Adiós!

3.
- ● ¿A qué hora empieza la fiesta?
- ○ A las once. Ya está aquí el grupo de música.
- ● Ah, gracias.

4.
- ● Mañana estás en Zamora, ¿verdad? ¿A qué hora sale el avión?
- ○ A las siete menos cuarto.
- ● Muy bien. Llevas todos los catálogos, ¿no?
- ○ Sí.

**17** ⏭ 29

- ● Buenos días, señor Madariaga.
- ○ Buenos días, Lourdes.
- ● Aquí tiene los periódicos, como siempre: El País, El Mundo y el ABC.
- ○ Sí, gracias. Muy bien. ¿Y qué planes tenemos para hoy?
- ● Pues a las nueve y cuarto nos visita el señor Farías, el representante de la Seat. Se trata del proyecto "servicio al cliente".
- ○ Hmm.
- ● A las diez y media tenemos la presentación del nuevo catálogo.
- ○ De acuerdo.
- ● A las doce tiene usted una cita con el señor Holguín.
- ○ Hmm, hmm.
- ● A las dos he reservado una mesa en el restaurante "La Cava" con los responsables de la empresa "Plástix".
- ○ Hmm, vale.
- ● Y a las cinco de la tarde tiene usted su clase de golf.
- ○ Ah, ¡por fin una cosa que me gusta!
- ● Y su avión para Ámsterdam sale a las ocho y media.
- ○ Perfecto, Lourdes. Eres la secretaria ideal.

## 6 Por la ciudad

**5** ⏭ 31

- ● Bueno, Elsa, ¿tienes ya planes para esta semana?
- ○ Pues, me gustaría ver la catedral.
- ● ¿Qué te parece el miércoles? Y si quieres, podemos ir el martes al Museo Arqueológico, porque por la mañana hay visitas guiadas.
- ○ Bueno, pues el martes, el Museo Arqueológico, y el miércoles, la catedral.
- ● Mira, el viernes por la noche, a las nueve, hay un concierto de jazz en el Castillo de Santa Bárbara. ¿Qué te parece el jazz?
- ○ Sí, me gusta mucho. Vamos, ¿no?
- ● Vale. ¿Tienes ya planes para el jueves? Ya sabes que yo el jueves no estoy en Alicante…
- ○ Sí, sí, el jueves descanso. Quiero ir a la playa por la mañana y después pasear por el centro.
- ● Ah, muy bien. Oye, y el sábado por la noche podemos salir con mi hermano Sebastián por el centro.
- ○ ¡Qué bien! Hace mucho tiempo que no veo a tu hermano.

## 7 El placer de viajar

**6** ⏭ 33

1.
- ● ¿Por qué no vamos a la sauna hoy?
- ○ ¿A la sauna? ¡Uah! No me gusta nada.

2.
- ● Este cuadro me gusta mucho. ¿Lo compro?
- ○ A mí también me gusta. Es precioso.

3.
- ● Prueba este vino. Rico, ¿verdad? ¿Qué piensas?
- ○ ¡Hmm! También me gusta. Buenísimo. ¡Salud!
- ● ¡Salud!

4.
- ● Oye, Luis, podemos hacer senderismo este año, ¿no? A mí me encanta.
- ○ Sí, a mí también. ¿Por qué no vamos a los Pirineos? Hay muchas rutas interesantes.
- ● ¡Qué buena idea!

5.
- ● A mí ir en avión ¡me da pánico!
- ○ A mí los aviones tampoco me gustan. ¡Prefiero no salir del país para no tener que ir en avión!

6.
- ● A mí me encantan las gambas al ajillo. ¡Hmm! Están buenísimas.
- ○ Uff, a nosotros no. A Juan y a mí, la comida con mucho ajo no nos gusta nada.

**12** **b.** ⏭ 34

- ● ¿Nuestro viaje de este año? Hemos estado en Cuba. ¡Qué isla tan bonita! Lo que más me ha gustado ha sido la gente, hemos conocido a muchas personas súper simpáticas.
- ○ Sí, ha sido un viaje muy bonito. Hemos alquilado un coche y hemos visto toda la isla.
- ● Y ha sido una aventura viajar por la isla.
- ○ Hemos hecho muchas fotos, ¡casi 300!
- ● Es que hemos visto lugares preciosos, y claro, las fotos son un recuerdo bonito.
- ○ Y no sólo lugares. Hemos visto el Ballet Nacional de Cuba, ¡qué maravilla de colores!
- ● Sí, también ha sido un viaje cultural, y hasta hemos hecho un curso de baile en La Habana.
- ○ Sí, ¡ahora somos expertas en salsa y merengue!
- ● Y con todo esto, no he pensado ni un minuto en mi ex. Qué más se puede pedir.

## 8 Mirador

**2** ⏭ 36 – 39

1. Aviso para los señores pasajeros del vuelo Iberia 983 con destino París. Embarquen por la puerta C85.
2. A ver, la catedral… Está un poco lejos, pero puede tomar ese autobús, el número 35, y bajar en la Calle Bolívar. Desde allí son tres minutos a pie.
3. Lo siento, señores, pero esta semana la cafetería del hotel está cerrada, así que no podemos ofrecer desayuno.
4. Las albóndigas de la casa llevan ajo, pero no mucho. No son muy picantes, la verdad.

**3** ⏭ 40

1. Yo tomo una tortilla, ¿y tú?
2. No me gustan las discotecas.
3. Lo siento, ha sido un error.
4. ¿Algo más?

## 9 Caminando

**5** ⏭ 41

- ● Buenos días, ahora seguimos con nuestras entrevistas para Radio Peregrino. Tenemos aquí dos peregrinos que ya han terminado su viaje y nos pueden contar sus experiencias… Hola, ¿tenéis un minuto? Es para una entrevista.
- ○ Sí, claro.
- ● ¿Cómo os llamáis?
- ○ Elías.
- ■ Pilar.
- ● ¿Y de dónde sois?
- ○ Yo soy argentino…
- ■ … y yo peruana.
- ● Y Elías, Pilar, ¿cómo ha sido recorrer el Camino de Santiago?
- ○ Bárbaro.
- ■ Maravilloso, pero también muy duro.
- ● ¿Qué podéis contar de vuestras experiencias? ¿Cuál ha sido en vuestra opinión la etapa más bonita?
- ■ Para mí, la última, de Palas de Rei a Santiago de Compostela.
- ○ No, no, la más bonita es la que va de Astorga a Ponferrada, con esas nubes, la niebla, los caminos solitarios…
- ● ¿Y la etapa más dura?
- ■ Para mí la última etapa, llegar hasta Santiago.
- ○ No, no. Para mí la primera etapa, desde Roncesvalles hasta Puente la Reina, porque empezar es siempre muy duro.
- ■ Bueno, pero la última etapa ha sido más difícil porque los pies ya no pueden dar un paso más.
- ● Claro. Y ya la última pregunta. ¿Cuál ha sido la etapa más larga?
- ○ Puff. La etapa más larga es la de Carrión de los Condes a León.
- ■ No, la etapa que es justo antes, desde Burgos hasta Carrión de los Condes es más larga, porque son más kilómetros. Pero subjetivamente la más larga es…
- ○ ¡La última! Claro.

**7** **b.** ⏭ 42

- ¡Miguel, chico! ¡Qué cara tienes! ¿Qué te pasa?
- ○ Ay, es que he tenido un día…
- ¿Has dormido poco?
- ○ Bueno, me he levantado a las doce…
- ¿A las doce?
- ○ Sí. Bueno… ya sabes. Es que ayer por la noche… en la fiesta de María…
- Vale, está claro. Mucho alcohol, ¿no?
- ○ Mucho. Así que me he levantado y no he tenido tiempo de desayunar.
- ¿A las doce qué quieres desayunar?
- ○ Tampoco me he duchado. Me he ido directamente a la universidad. Y he llegado a la clase de la una.
- ¿Y después?
- ○ Pues después de la clase, a las dos, he comido en la cafetería. He tomado un plato de espaguetis, que la verdad no me han gustado nada, y a las tres he vuelto a casa. He dormido una siesta de tres horas.
- ¿Y al gimnasio has ido?
- ○ ¡Qué va! Hoy no puedo hacer deporte.
- Y entonces, ¿por qué no vamos al cine?
- ○ Otro día, papá. Hoy yo me acuesto a las nueve.

**11** ⏭ 43

1. ¿Te gustan más estos o los rojos?
2. Ese de queso parece muy rico.
3. ¿Este va al centro?
4. ¿Has probado ya esa? La he hecho yo.
5. Esas están muy viejas. ¿Por qué no te compras unas nuevas?
6. ¿Esta la tienen también en azul?

## 10 Tengo planes

**11** **b.** ⏭ 45

- Buenas tardes. ¿Qué van a tomar?
- ○ Buenas tardes. Para mí primero una sopa de tomate y luego la merluza.
- ■ Pues yo tomo de primero los espaguetis y de segundo la chuleta.
- De acuerdo. ¿Para beber, qué les traigo?
- ○ Una botella grande de agua, por favor. Con dos vasos.
- ■ Y para mí además una copa de tinto de la casa.
- Muy bien. ¿Quieren elegir el postre ya o más tarde?
- ○ Yo no quiero postre, gracias.
- ■ Yo sí, y ya sé qué quiero: crema catalana.

…

- ¿Algo más, señores?
- ■ Sí, dos cafés. Tenemos un poco de prisa. ¿Nos trae la cuenta, por favor?
- Claro, enseguida.

**15** ⏭ 46

- ○ Restaurante La Dorada, ¿dígame?
- Hola. Quería reservar una mesa para el viernes por la noche.
- ○ ¿A qué hora?
- A las nueve y media.
- ○ El viernes a las nueve y media… ¿Para cuántas personas?
- Para ocho.
- ○ Perfecto, ocho personas… ¿A nombre de quién?
- A nombre de Eduardo Pascual, de la empresa Capitán.
- ○ Muy bien. ¿Me deja un número de contacto, por favor?
- Sí, claro. 912 940 618.
- ○ 912 940 618. Perfecto.
- Pues muy bien. Muchas gracias.
- ○ Gracias a usted por su reserva.

## 11 Mi nueva casa

**3** ⏭ 48

1.
- Lo han traído esta mañana. ¿Lo quieres ver?
- ○ ¡Qué moderno! Oye, y es muy grande.
- Sí, por fin voy a poder tener toda mi ropa junta.
- ○ ¿Los zapatos los vas a poner también aquí?
- Sí, y los sombreros también.

2.
- Huy, pues parece muy cómodo.
- ○ Sí, pero rojo… no sé… Creo que en nuestro salón es mejor negro o marrón.
- Hmm.

3.
- Sí, oiga, no funciona… La compré hace dos meses y ya han venido una vez para repararla… Toda la ropa se ha quedado dentro y no puedo sacarla… ¿Cuándo van a venir?

4.
- Oye, ¿y por qué no la pones ahí, al lado de la mesa?
- ○ No, mejor la voy a poner detrás del sofá, para poder leer por las noches.

5.
- ¡Muchas gracias, es precioso! ¿Lo compraste en Marruecos?
- ○ Sí, ¿de verdad que te gusta?
- Mucho. Además en el baño pequeño va a quedar muy bien.

6.
- Es muy grande y tiene mucha luz. Este es el que estábamos buscando…
- ○ Sí, pero está en las afueras y además es bastante caro. Mejor vamos a pensarlo…

**4** ⏭ 49

- ○ ¡María! Oye, soy yo. Ya me han enviado tres ofertas de la inmobiliaria.
- Bueno, ¿y qué tal? ¿Hay algo interesante?
- ○ Pues mira. Hay uno que además tiene buen precio.
- ¿Dónde está?
- ○ En Alberto Aguilera, son sólo diez minutos a pie de mi trabajo. Amueblado y con cuatro dormitorios.
- Ah, si tenemos un dormitorio libre puede venir mi madre a visitarnos…
- ○ Bueno, es un cuarto piso sin ascensor.
- ¿Cuarto sin ascensor? ¡Ah, no! No, no, no. ¡Ni hablar!
- ○ Vale, pues este no. A ver, hay otro en la Calle de Alcalá.
- ¿En Alcalá? Seguro que hay mucho ruido.
- ○ El anuncio dice que es tranquilo y además es interior. Parece lo que necesitamos: tres dormitorios.
- Pero necesitamos cuatro; si no, no podemos tener visitas…
- ○ María, no es tan fácil encontrar un piso de cuatro dormitorios… Además este está cerca del metro y en veinte minutos puedo estar en la oficina.
- Bueno, y tienes otro más, ¿no?
- ○ Sí, en Alameda de Osuna. Este sí que tiene cuatro dormitorios, pero desde ahí tengo que ir en coche al trabajo. No sé. La verdad es que prefiero vivir más en el centro y viajar en metro.
- A ver. ¿Puedes leer el anuncio?
- ○ Piso 4 dormitorios, 2 baños, terraza 40 m$^2$…

- ¡Una terraza de 40 m! ¿Y es muy caro?
- ○ Es un poco más caro... y la cocina está sin amueblar.
- Ah, no, no. Lo de comprar una cocina no es buena idea. ¿Y si en el próximo piso ya hay una? ¿Qué hacemos después con ella?
- ○ De acuerdo. Este tampoco. Mira, voy a llamar al de Alcalá para saber cuándo podemos verlo.

## 12 Mirador

**2 a.** ⏭ 51–54

1.
Son muchos los caminos que llevan a Santiago. El más conocido es el Camino Francés, que pasa por Pamplona. Pero mucha gente elige también, por ejemplo, el Camino del Norte, que no es tan famoso como el Camino Francés y que pasa por Bilbao.

2.
Durante la semana duermo muy poco, me acuesto siempre muy tarde, a las dos o tres de la mañana. Por eso, si es posible, los fines de semana me quedo en la cama y descanso mucho. Y luego me tomo el día con toda calma, sin prisas.

3.
Lo siento, señores, pero de los primeros platos del menú ya no tenemos el gazpacho. Hay ensalada, arroz con huevo o espaguetis con tomate.

4.
El piso no está mal. Ya he comprado todo lo necesario... Claro, muy barato, nada especial, pero todo muy práctico.

**2 b.** ⏭ 55–58

1.
- ¿A qué hora llega el tren?
- ○ Pues yo creo que a las diez y cuarto.

2.
- ¿Cuántos kilómetros son?
- ○ Unos quinientos.

3.
- Cómo se llama la montaña que se ve desde la Paz?
- ○ Illimani. Se escribe con "elle".
  I - LL - I - M - A - N - I.

4.
- ¿Tú sabes en qué año llegó el chocolate a Europa?
- ○ En 1504, en el cuarto viaje de Cristóbal Colón.
- Ah.

**3** ⏭ 59

1. ¿Tienes ganas de salir esta noche?
2. ¿Dónde están las entradas para el teatro?
3. Voy al supermercado. ¿Necesitas algo?
4. No me gustó la película, ¿y a ti?